JARDINER POUR LES OISEAUX
Quarante-deux jardins d'oiseaux du Québec

JARDINER

POUR LES

André Croteau

OISEAUX

42 JARDINS D'OISEAUX DU QUÉBEC

ÉDITIONS DU TRÉCARRÉ

Conception graphique et infographie : Dufour et fille design inc.
Séparation de couleurs : Les industries Tri-Graphiques
Photographie de la couverture : paruline jaune, photographe : Gilles Delisle,
    Groupe Itinéraire Nature inc.

Page 4 : à gauche, paruline verte à gorge noire; au centre, bruant des prés; à droite, paruline à tête cendrée. Page 5 : pic mineur.

ISBN 2-89249-630-6
Dépôt légal 1996
Bibliothèque nationale du Québec

ÉDITIONS DU TRÉCARRÉ
Saint-Laurent (Québec)
Canada

IMPRIMÉ AU CANADA

À ceux qui ont la sagesse
de cueillir tous les fruits
de la nature.

REMERCIEMENTS

J'adresse un chaleureux merci à ma collaboratrice Sylvie Rivard, journaliste de son métier, qui s'est aimablement engagée à conduire les recherches et les entrevues dont l'objectif était la rédaction de cet ouvrage. Je désire aussi souligner le travail exceptionnel qu'ont accompli les photographes cités dans ce livre.

Ma gratitude va également à mon ami Bernard Jolicœur, biologiste, dentiste et grand amant de la nature, dont les précieux renseignements m'ont ouvert les yeux sur les préférences alimentaires de nos amis les oiseaux.

Enfin, je rends grâce à toutes les personnes qui nous ont permis de visiter leur jardin et qui ont parfois consacré plusieurs heures à nous entretenir de leur passion : les oiseaux.

André Croteau

NOTE AU SUJET DES PLANS DE JARDINS
Les plans de jardins qui illustrent les différents chapitres ont des proportions approximatives et leur échelle varie de l'un à l'autre. L'objectif recherché n'est pas de donner des mesures précises, mais d'informer le lecteur sur les espèces d'arbres, d'arbustes et de fleurs qui ont assuré le succès aux jardiniers amateurs que nous avons rencontrés.

PRÉFACE

Un tintamarre épouvantable a envahi la région. Des dizaines de milliers de personnes tapent sur tout ce qui peut faire du bruit. Durant trois jours et trois nuits. Finalement, le vacarme a raison des oiseaux. Épuisés, mourant de faim, ne pouvant se poser, ils tombent comme des mouches… Les paysans ont sauvé leur récolte et fait disparaître les indésirables granivores à tout jamais. Un grand silence s'installe.

Cette histoire, hélas récente, nous vient de loin, de très loin : de la Chine sous Mao. Je lui préfère les récits et anecdotes des dizaines d'amoureux de la nature, qui ont bien voulu, par la « plume » d'André Croteau, nous montrer qu'un jardin, ce n'est pas seulement que des alignements de plantes sages et ordonnées; c'est aussi un heureux désordre accueillant, pour tout un petit monde qui fourmille.

De nombreux oiseaux sont aussi jardiniers. Ils jouent un rôle important dans la diffusion des plantes à fruits, entre autres. Qui donc a semé ce tilleul d'Amérique dans mon jardin? et cette aubépine? et ce sureau blanc? mon écureuil a la queue coupée? hé non, il est plutôt expert dans les marronniers…

Il y a déjà quelques années « l'esprit » cartésien qui hantait mon jardin a pris la clé des champs. Les buissons de l'école buissonnière ont élu droit de cité. Non dépouillées de leurs fructifications d'automne, mes plantes vivaces offrent désormais aux oiseaux nourriture et brindilles.

Grâce à vos conseils et vos trucs, j'ai hâte d'entendre dans mon jardin le pépiement du colibri, le cliquetis du martinet, le zézaiement de l'hirondelle bicolore, le jacassement de la mésange, le miaulement du moqueur chat, le trille du jaseur d'Amérique, le gazouillis du carouge, et de tous les autres qui me feront l'honneur d'une visite.

Jean-Claude Vigor

UNE VISITE CHEZ THÉRÈSE GIRARD, LA « DAME AUX OISEAUX »

Qu'y a-t-il de plus beau qu'un oiseau,
qu'y a-t-il de plus beau qu'une fleur?
Un oiseau sur une fleur!

IL y a bien vingt ans que je connais madame Thérèse Girard, de Candiac. Dans la région métropolitaine, en dehors des cercles politiques, c'est l'une des personnes les plus connues de la rive sud. On la surnomme la « Dame aux oiseaux ».

Ce nom lui sied à ravir, car non seulement elle entretient la plus grande colonie d'hirondelles noires au Canada – jusqu'à 2 000 certaines années! – mais elle accueille en outre dans son domaine des centaines d'oiseaux de toute espèce, granivores ou insectivores.

Son succès auprès de la gent ailée n'est pas le seul fait du hasard; il y a longtemps que tout en se livrant aux plaisirs du jardinage, elle pense aux oiseaux et crée des aménagements à leur intention. Car elle jardine pour les oiseaux et tire de son agréable labeur une double récompense. En effet, qu'y a-t-il de plus beau qu'un oiseau, qu'y a-t-il de plus beau qu'une fleur?

Réponse : Un oiseau sur une fleur!

C'est au fil de mes nombreuses visites chez Thérèse Girard que m'est venue l'idée d'écrire un livre sur les gens du Québec qui, comme elle, ne se contentent pas d'admirer les oiseaux de passage, mais ont trouvé le moyen de les attirer et de les garder autour de chez eux.

Quel est le secret de leur réussite? Quelles fleurs cultivent-ils? Quels arbres et arbustes plantent-ils? Quels aménagements font-ils? J'ai trouvé la réponse simple, précise et complète dans une quarantaine de jardins du Québec, tant en ville qu'en banlieue et à la campagne, chez autant de personnes, de couples ou de familles qui, tout en tenant compte des conditions et des limites du sol et du climat, ont un succès manifeste auprès des oiseaux.

Jaseur d'Amérique

UN SECRET EN TROIS MOTS

Les Girard habitent une maison jolie et toute simple sur les bords du bassin de La Prairie à Candiac. Si la maison est ravissante, le terrain sur lequel elle est bâtie est immense. Il a une superficie du triple de celle d'un terrain ordinaire et est encadré de grands peupliers matures.

Depuis lors, les Girard ont planté de nombreux arbres et arbustes choisis tant pour leur beauté ou leur utilité que pour les avantages qu'ils offrent aux oiseaux. En premier lieu, les Girard ont bordé la route d'une longue haie de lilas qui atteint aujourd'hui quatre mètres de haut. Cette haie les protège des regards indiscrets et sert d'écran à la poussière et aux bruits de la circulation : dès que vous franchissez la barrière de l'entrée, vous vous retrouvez dans un havre de paix que vous ne voulez plus quitter. Et si d'aventure vous vous y promenez au temps de la floraison, vous êtes littéralement enivré par le pur et délicat parfum qui s'exhale des fleurs.

Les lilas sont des arbrisseaux aux branches fines, rugueuses et denses qui offrent aux oiseaux de petite taille une excellente protection contre les oiseaux de proie de même qu'un site de nidification très favorable. Vous l'aurez deviné, les lilas sont le domaine des parulines, oiseaux insectivores par excellence. Il suffit de se poster aux aguets et, en quelques heures, vous pouvez voir aller et venir la plupart des espèces de parulines qui daignent passer l'été autour des agglomérations humaines.

La maison des Girard est sise en plein cœur de la principale route de migration des oiseaux au Québec : toutes les espèces passent à leur porte à un moment ou l'autre de l'année et s'y arrêtent soit pour se reposer, soit pour y nicher.

Une haie de thuyas, dits cèdres blancs, marque la limite ouest de la propriété. Cette haie, qu'on ne taille pas, a pris de l'expansion et offre toute l'année protection et refuge aux passereaux. De surcroît, à la belle saison, de nombreux oiseaux y nichent, entre autres des merles d'Amérique et des moucherolles phébi.

Les oiseaux qui raffolent des hauteurs sont ravis : du haut des peupliers, les orioles et les jaseurs d'Amérique ont une vue imprenable sur le Saint-Laurent.

Thérèse Girard laisse à Dame Nature le soin de nourrir ses oiseaux favoris : ici les insectes abondent, notamment les éphémères dont les larves de trois espèces distinctes éclosent de mai à juillet, fournissant à ses visiteurs ailés plus de protéines que la mangeoire la mieux garnie. Par ailleurs, l'eau ne manque pas : à l'avant de la maison se trouve un

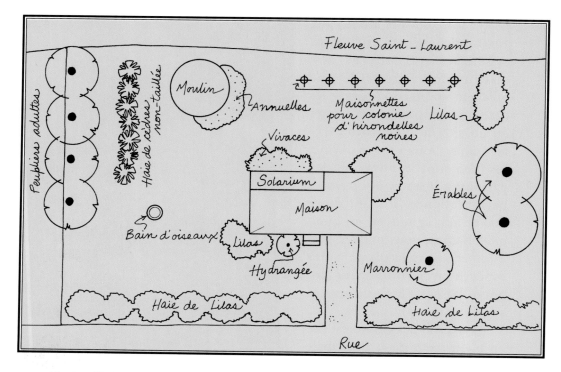

bain d'oiseaux constamment renouvelé, à l'arrière coule le fleuve majestueux.

Voilà le secret pour attirer et garder les oiseaux dans le voisinage; il tient en trois mots : ABRI, NOURRITURE, EAU.

Parcourons maintenant le Québec et visitons d'autres propriétés où la gent ailée et les êtres humains se portent de toute évidence une affection mutuelle.

Nous arpenterons d'abord divers jardins ou sites d'observation situés en plein cœur des villes. Nous nous dirigerons ensuite vers les banlieues avant de nous rendre à la campagne. Tous ces jardins étant l'œuvre d'amateurs, nous garderons pour la fin une visite chez deux spécialistes dont le savoir sera une source de renseignements précieux pour tous les lecteurs.

Maisonnettes pour colonie
d'hirondelles noires

Merle d'Amérique

AU PIED DU MONT ROYAL,
UNE RUE DE FLEURS ET D'OISEAUX

ONTRÉAL cache des rues étonnantes, comme la rue Hutchison. Voisine immédiate du mont Royal, à l'ouest de l'avenue du Parc et au nord de la rue Sherbrooke, la rue Hutchison, bordée de tilleuls presque sur toute sa longueur, est délicatement parfumée...

Les maisons en duplex ou en triplex réservent de tout petits carrés de verdure à leurs propriétaires. Gisèle Trépanier a aménagé le sien d'odorante façon. Toutes ses fleurs et tous ses arbustes, enfin presque, répandent leurs délicats effluves aux alentours. Chaque année, une couleur différente domine dans le jardin de Gisèle. Toutefois, tous les coloris se mêlent harmonieusement pour embaumer les lieux.

Les oiseaux ne sont pas le seul prétexte de Gisèle pour jardiner. Elle reconnaît cependant les aimer beaucoup et faire comme d'autres pour avoir le plaisir de les apercevoir, c'est-à-dire planter quelques fleurs et arbustes, accrocher des mangeoires en des endroits du jardin où elle peut les observer. Bien qu'elle n'ait jamais eu de jardin auparavant, elle a toujours garni son balcon de fleurs. Aujourd'hui, son petit coin de campagne semble l'œuvre d'une spécialiste... même les oiseaux sont d'accord!

La visite débute au pied de l'escalier autour duquel s'enroule un trottoir de pierres fabriqué par dame Trépanier et dont les roches ont été glanées ici et là, aussi loin qu'en Gaspésie. À la gauche de l'escalier, un hibiscus et un seringa parfumé inaugurent la plate-bande composée d'une succession de fleurs et d'herbes aromatiques : lavande, cassis, menthe, mélisse, ciboulette, rosier, pourpier, dentaria et fougères. Au fond du jardin, la lisière se complète de cœurs-saignants, d'impatientes, d'œnothères, de fougères et de muguets...

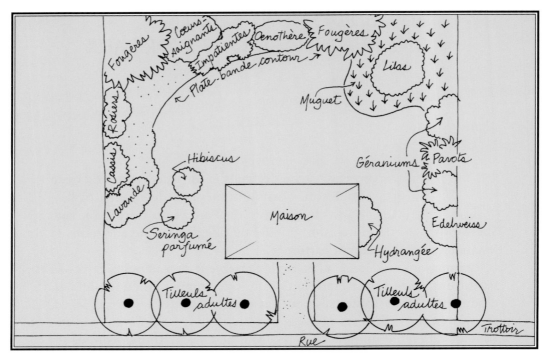

Fougères
Cœurs-saignants
Impatientes
Œnothère
Fougères
← Plate-bande contour
Lilas
Muguet
Fougères
Rosiers
Cassis
Lavande
Hibiscus
Seringa parfumé
Maison
Géraniums
Parots
Edelweiss
Hydrangée
Tilleuls adultes
Tilleuls adultes
Rue
Trottoir

Moineau domestique

La bande florale grignote chaque année un peu plus de pelouse; Gisèle y ajoute des espèces différentes. En ce moment, le tout a la forme d'une ampoule odorante avec ses lilas roses et ses gaillardes. Une autre allée de fleurs borde la cour, du côté nord; s'y succèdent les géraniums odorants, les concombres, les pavots d'Arménie, les chrysanthèmes, les œillets de poète, la ciboulette à l'ail et un bouquet de fragiles mais étonnants edelweiss. À côté du balcon, fleurissent une hydrangée (ou *hortensia*) et un bosquet de fleurs roses.

L'ensemble embaume et forme un tableau floral rappelant certains des plus célèbres peintres impressionnistes! Résultat, les oiseaux sont légion. Parmi ceux-ci, des roselins, des chardonnerets jaunes, des moineaux domestiques (eux aussi sont les bienvenus), et même des colibris à gorge rubis. Les colibris étaient plus nombreux à l'époque où Gisèle cultivait des glaïeuls, ces grandes fleurs en forme d'épis qui font des bouquets magnifiques... mais qui sont des annuelles à replanter chaque année. Gisèle opte plutôt pour un jardin de vivaces... les oiseaux aussi. Même les cardinaux s'y arrêtent, le temps d'un tour de chant!

Chardonneret jaune

À L'OMBRE DU MONT ROYAL,
DES CRIS D'OISEAUX ET D'ENFANTS

CAMILLE GOYETTE habite Notre-Dame-de-Grâce, un quartier de l'ouest de Montréal, à l'ombre du mont Royal. Ce n'est pas encore la banlieue, mais il y règne un calme ponctué seulement par les pépiements d'oiseaux et les cris d'enfants qui s'amusent dans le grand parc, à peine cent mètres plus loin. La rue où demeure Camille Goyette, une enseignante certainement très aimée de ses bouts de choux d'âge préscolaire, est bordée de beaux arbres à maturité.

Une épinette blanche, magnifique, accueille le visiteur près du seuil de la maison, un coquet semi-détaché. Mais le lieu par excellence d'où l'on peut observer les oiseaux, c'est la cuisine de Camille, qui donne directement sur la cour arrière. C'est là, dans le jardin, que tout se passe.

Même si elle affirme voir plus de vie dans son jardin en hiver, parce qu'elle y installe plusieurs mangeoires, madame Goyette reçoit de nombreux visiteurs ailés, même l'été. Ce sont principalement les roselins familiers, les chardonnerets et les étourneaux sansonnets. Camille aime beaucoup les étourneaux, surtout au printemps et au début de l'été, lorsqu'elle peut observer la femelle au grand bec jaune qui donne la becquée à ses petits. Viennent aussi des tourterelles, des merles d'Amérique et les inévitables quiscales.

La cour arrière, assez petite – environ cinq mètres sur huit – est sobrement, mais joliment aménagée. Au bas des quelques marches qui y mènent, une deuxième grande épinette capte tout de suite l'attention. L'arbre fourmille de vie; même par cette journée sans vent, les branches s'agitent vigoureusement. L'an dernier, une famille de merles y avait établi ses quartiers; cette année, Camille n'y a vu aucun nid : ils sont probablement dissimulés au sommet.

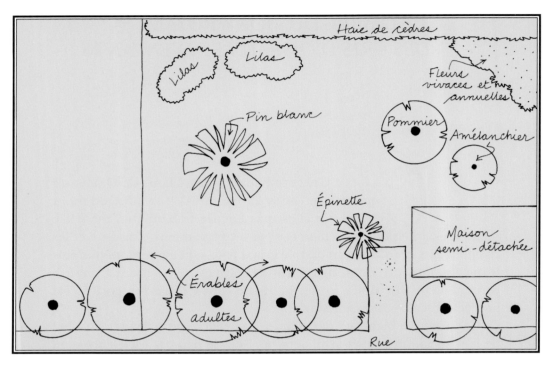

Haie de cèdres

Lilas

Lilas

Fleurs vivaces et annuelles

Pin blanc

Pommier

Amélanchier

Épinette

Maison semi-détachée

Érables adultes

Rue

Roitelet à couronne rubis

Les oiseaux fréquentent la cour de Camille parce qu'ils y trouvent de quoi combler leurs besoins : des arbres pour se percher et s'abriter rapidement en cas de danger, de la nourriture en abondance et un bassin pour boire et se baigner.

« Les oiseaux n'aiment pas les grands espaces, explique Camille, une cour accueillante renferme donc des arbres. », ajoute-t-elle. Les arbres, chez Camille, ce sont les grandes épinettes, un pommier, une haie de cèdres qui protège l'endroit des regards indiscrets sur deux côtés de la cour, et des lilas. Les cèdres servent également d'abri aux oiseaux. Ce jour-là, j'ai observé qu'au moindre bruit, les roselins et les chardonnerets, nerveux, s'envolaient et se perchaient dans les branches de ces conifères hospitaliers.

La mangeoire n'est accessible qu'aux plus petits oiseaux tels les chardonnerets et les roselins. C'est pourquoi Camille jette quelques miettes de pain et des graines de tournesol à l'intention des étourneaux sansonnets, des tourterelles et des quiscales qui se servent sans être invités.

Au fil des années, Camille est devenue presque experte dans l'identification des oiseaux. Elle montre dans son précieux guide Peterson, et sur une affiche rapportée de l'école, tous les visiteurs qui ont, au moins une fois, honoré son jardin de leur présence : geai bleu, junco, tard l'automne et au printemps, mésange à tête noire, tangara écarlate, bruant à couronne blanche, deux variétés de sittelles, mésange à tête brune dans l'érable, devant la maison, moucherolle tchébec dans le pommier, jaseur d'Amérique, roitelet à couronne rubis et même un cardinal. De ses amis ailés, elle parle avec une tendresse dans le regard qui ne trompe pas : madame les aime beaucoup et les connaît bien.

Pourtant, elle ne garde, l'été, qu'une mangeoire dans son jardin. À cette époque de l'année, la nature est généreuse, et les mangeoires ne sont pas absolument nécessaires, sauf si l'on veut observer ses amis de près. Camille place toujours la sienne de façon à l'apercevoir de la fenêtre de la cuisine.

Son amour des oiseaux lui est venu, en partie, de la visite qu'elle avait faite au Centre d'interprétation de la nature du lac Boivin à Granby, il y a une dizaine d'années. C'était aussi dans l'air, à l'époque. Entraînée par le courant de popularité pour cette forme de loisir, Camille ne s'en est jamais lassée : l'hiver, au moins trois mangeoires offrent la nourriture aux oiseaux; ses arbres, le gîte. L'été, les lilas, le pommier et les cèdres, en plus du bain, de la mangeoire et de la douceur de Camille, attirent sans relâche dans sa cour une compagnie ailée, colorée et bien-aimée.

IL SUFFISAIT DE PRESQUE RIEN POUR ATTIRER CES ROSELINS...

C'EST arrivé à Outremont...

Une étrange histoire d'oiseaux est arrivée dans cette ville qui ne manque pourtant pas d'arbres où nicher. Ici, pas de jardin, juste une histoire. Cette chose étonnante s'est produite juste au-dessus de la porte de la copropriété où habite André Thibault, sociologue, écrivain et ornithophile. La maison est située dans une rue qui surprend par son calme puisque à quelques maisons de là passe la bruyante avenue Van Horne.

Voici les faits. Il y a deux ans, André constate que des brindilles dépassent du lampadaire suspendu au-dessus de la porte d'entrée de la maison. En y prêtant attention, il s'aperçoit que ces petits bouts de bois et de branchage, assemblés un à un, forment un nid. Des roselins familiers, ces petits oiseaux teintés de confiture de framboises – dixit madame Descôteaux – ont élu domicile à cet endroit! Étonné, intrigué, mais surtout curieux, André, en observateur averti, bercera pendant l'été quelques couvées du regard...

Au début de mai 1995, les roselins reprennent possession du lampadaire. Le petit manège du transport de matériaux recommence. André, toujours aux aguets, note toutefois que la famille a de la difficulté à construire son nid! Cette fois, rien ne tient!

Après avoir observé les efforts infructueux des oiseaux, André imagine une façon de donner un petit coup de pouce à Dame Nature! La solution? Une boule de coton molletonné qu'il installera fort à propos au fond du lampadaire. Eh bien! trois jours plus tard, les oiseaux avaient terminé de façonner leur nid à même le morceau de tissu disposé par leur hôte.

Au dire du sociologue, c'est un exemple parfait de la symbiose entre l'humain et l'oiseau, ce qui est en opposition avec un écologisme naïf

Roselin familier

où la nature est laissée à elle-même, malgré la détresse. Il cite en exemple les bienfaits des marais créés par Canards Illimités, cet organisme passé maître dans l'aide à la nature, en ce cas particulier aux oiseaux migrateurs, par la création ou l'aménagement de marécages indispensables à leur nidification. La coopération existe entre l'homme et son environnement : la nature répond vite aux conditions favorables qu'on lui a créées.

La première nichée a pris son envol dès la fin de mai. « Le local n'est pas demeuré vacant longtemps, souligne André, une deuxième couvée est apparue presque aussitôt après que la première se fut envolée. », et il ajoute qu'il ne peut préciser s'il s'agissait du même couple ou d'un autre qui se tenait à l'affût.

André et sa compagne observent les oiseaux depuis sept ou huit ans. Même s'ils apprécient les voyages d'observation ornithologique, ils ne font partie d'aucun groupe, préférant organiser eux-mêmes leurs déplacements et regarder à leur gré, aussi longtemps qu'ils le peuvent, les espèces aperçues au fil de leurs escapades.

Pourtant, c'est dans leur quartier, dans les grands caryers qui encadrent les maisons du voisinage, et à leur porte même qu'ils notent la présence des oiseaux les plus intéressants. Comme quoi, il suffit parfois de bien peu pour attirer la gent ailée tout près de soi, au point de lui faire préférer votre balcon aux frondaisons voisines.

DANS L'EST DE LA MÉTROPOLE :
UN COIN DE NATURE GÉNÉREUSE

POINTE-AUX-TREMBLES, souvent perçue comme un prolongement de Montréal empuanti par les raffineries de pétrole, a bien mauvaise presse. Pourtant, des parcs, des espaces verts et même une piste cyclable longent la rue Notre-Dame, l'égayant de taches vertes et multicolores des tenues de cyclistes.

La demeure de Pierre Lassonde, l'une de celles qui bordent la rue Notre-Dame, ne laisse pas de surprendre. L'entrée sitôt franchie, la ville se fait discrète, disparaît presque derrière cet îlot de campagne. Si la façade laisse entrevoir quelques brins de verdure, l'arrière provoque l'émerveillement : c'est magnifique!

Le terrain, orienté plein est, donc au soleil levant, s'infléchit doucement vers le Saint-Laurent. En face, ce n'est pas la rive sud, mais l'île Grosbois où, en automne, les chasseurs profitent des battures pour chasser les oiseaux migrateurs qui passent par là. Au-delà de l'île se découvre aussi la voie maritime qui révèle aux habitants de la maison le spectacle des paquebots et des cargos qui frayent lentement leur passage jusqu'au port de Montréal. Impressionnant!

La propriété, achetée depuis seulement trois ans, Pierre et sa compagne l'ont entièrement fleurie, plantant tout eux-mêmes, sauf deux vieux pommiers d'au moins quatre-vingt-dix ans, des lilas sans doute aussi âgés, et des pivoines. Et avec quels résultats! Le propriétaire des lieux est encore ébahi de la générosité de la nature à cet endroit; il dira même que Dame Nature n'a pas fini de l'étonner.

Tout comme la nature s'est immiscée dans la vie familiale des Lassonde sur cette propriété, l'observation des oiseaux s'est imposée à eux. Un jour, des carouges à épaulettes sont arrivés là, provoquant la curiosité des petits et des grands, tous désireux de savoir ce qu'était ce

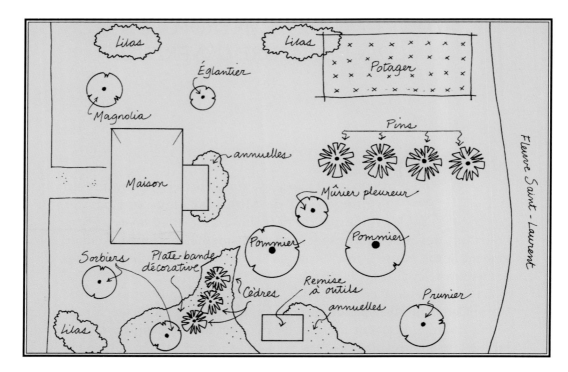

bel oiseau. Depuis ce jour, ils sont allés bien au-delà de la connaissance des oiseaux, découvrant le plaisir d'observer la nature, de connaître et d'épier la comportement des oiseaux, leur rythme de vie… et toujours heureux d'en partager les richesses!

Ainsi, bien que le jardin ait eu, à l'origine, tous les atouts voulus pour attirer les oiseaux, plusieurs des arbres, arbustes et bosquets fleuris du terrain possèdent des attraits indéniables. Pour pénétrer dans la cour qui a la forme d'un grand rectangle ouvert sur le fleuve, il faut d'abord dépasser une première haie composée, d'une part, de cèdres et d'autre part, sur le côté de la maison, de fleurs et d'arbustes parmi lesquels on reconnaît des hydrangées, des campanules, des rosiers jaunes grimpants, des azalées, des pavots, des vergerettes, des hostas, des seringas et un magnifique magnolia.

Avant que ne s'amorce la descente vers le fleuve, une attrayante bordure de plantes fleuries et odorantes s'épanouit, belle ligne colorée qui délimite la propriété. Cette bande, large et touffue, au sein de laquelle on peut se promener puisqu'un tout petit sentier permet de s'y

Grand héron

glisser furtivement, renferme des rosiers, des potentilles, des campanules, des rudbeckies, de beaux gros tournesols plantés là spécialement pour les oiseaux, quelques bouquets de fines herbes : ciboulette, estragon, origan et autres, des monardes, des lys, et même des arbustes à baies comme des groseilliers et des gadeliers. Le bassin d'oiseaux s'étale au milieu de cette mer de fleurs, entre les monardes et les lys.

Une très grande place est faite aux cosmos; ces jolies fleurs blanches, roses et mauves sont une surprise pour Pierre : elles attirent irrésistiblement les oiseaux. Il n'est pas rare qu'il y débusque un petit oiseau en train de se nourrir des graines des cœurs de ces fleurs. Un potager termine cette rangée de fleurs dans laquelle on retrouve des pivoines et un très très joli arbuste à papillons (*buddelia*) choisi par Pierre. Ces grappes mauves foncées séduisent en effet bien plus que les papillons!

En plus des pommiers qui étendent leurs grands bras en guise de bienvenue pour les oiseaux, quelques arbrisseaux attendent timidement

---

leur tour. C'est le cas du mûrier pleureur, magnifique arbuste, et du prunier.

Le côté ouest du jardin est bordé d'une haie de lilas et, en remontant vers la maison, la bordure s'enrichit de fleurs, notamment de rosiers. Une remise interrompt brièvement la ligne fleurie, qui se poursuit avec 41 autres variétés de plantes, fleurissant au pied d'un sorbier. Des hémérocalles aux lys orangés en passant par les astilbes, les monnaies-du-pape et les narcisses, ce coin est un paradis pour les visiteurs ailés.

À cause de la générosité de Dame Nature, Pierre lui fait confiance pour nourrir les oiseaux en été; c'est pourquoi il ne remplit aucune mangeoire lors de la belle saison. Cela n'empêche nullement le jardin d'être peuplé d'oiseaux. Pierre a constaté que le carouge à épaulettes domine dans la région, mais il a recensé d'autres espèces plus rares dont la proximité du fleuve explique la présence. Entre autres, ce grand héron fort à l'aise sur les rives du Saint-Laurent – on croit qu'il y aurait deux territoires de nidification dans les environs – et qui vaque à ses

Vachers à tête brune

affaires juste en face du jardin des Lassonde. Parfois, des sternes viennent se nourrir sous les yeux des membres de la maisonnée; Pierre a noté leurs plongeons fort spectaculaires. Les canards aussi font de fréquentes visites, car le voisin immédiat les appâte avec du maïs. Le printemps et l'automne ramènent les bernaches et les oies blanches.

Aiment aussi à se retrouver en ces lieux les mésanges, les chardonnerets, les sittelles à poitrine blanche, les geais bleus, les pics mineurs, les hirondelles noires, les hirondelles des granges, les jaseurs d'Amérique, les colibris qui raffolent des cosmos et des monardes, les innombrables tourterelles, les bruants et les vachers à tête brune. Outre ceux-là, Pierre a observé des grands becs-scies dès le mois de mars, des orioles du Nord en mai, au moment de la floraison des pommiers, et même des perdrix grises lors de l'hiver 1993, qui fut très froid.

Le fleuve, les fleurs, les arbres et les arbustes constituent un attrait incontestable pour les oiseaux, mais le respect des habitants d'une maison pour la faune ailée ajoute encore aux bonheurs de l'observation. Et à la sérénité de DameNature!

Paruline à couronne rousse

À MAGOG, UN GRAND JARDIN OÙ LES MOUCHEROLLES VOUS ACCUEILLENT

E N entrant chez Micheline Dussault, on est accueilli par un couple de moucherolles phébi en pleine nidification… à quelques pieds seulement de la porte qui ouvre sur le jardin. Attention! fragile…

Micheline Dussault habite Magog depuis toujours, presque sans interruption. Région touristique très fréquentée parce qu'elle recèle mille et une possibilités de loisirs de plein air et de tourisme, Magog se passe de présentation. Un petit rappel, tout de même, pour souligner la générosité de la nature dans ce coin du Québec : entourée de collines, de montagnes et de lacs procurant toutes sortes de frissons aux amateurs de ski, de trekking et de sports nautiques, Magog, la ville, bourdonne d'activités, été comme hiver. Ses nombreux arbres abritent des volées entières d'oiseaux.

Dans le jardin de Micheline s'enchevêtre un sympathique mélange de pommiers, de bouleaux, de sapins, de cèdres et de vinaigriers auxquels se mêlent les rosiers et les bouquets de rudbeckies et d'impatientes, qui laisse une impression de laisser-aller judicieusement planifié par l'énergique maîtresse des lieux. Partagée entre la garde de ses petits-enfants et l'entretien du jardin, Micheline se débrouille très bien, même si le terrain est fort grand.

Le jardin est construit sur deux paliers. Au premier niveau trônent les pommiers, et dans un coin, la roseraie; au deuxième, l'arrangement des fleurs, des arbres, des arbustes et du joli couvre-sol bien garni s'ouvre sur une grande piscine encadrée de fleurs et d'arbustes.

Au-delà du jardin, clôturé d'une barrière camouflée derrière les grands arbres, s'étend un sous-bois rempli de belles et bonnes choses. Ainsi, jouxtant le potager, un immense carré de framboises toutes mûres cède la place aux fraisiers qui, eux, la cèdent aux bleuets. Une

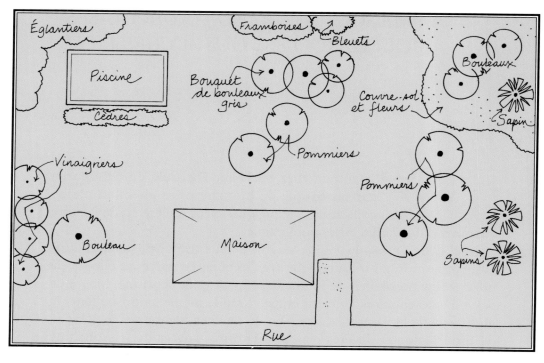

forêt de baies réjouissantes pour les yeux et pour le palais, mais protégées des intrus par un filet. Les fruits serviront aux conserves de Micheline. La présence de tous ces arbustes joue sûrement un rôle dans l'attrait qu'exerce la propriété sur les oiseaux.

De plus, le sol du sous-bois est frais et humide, idéal pour les bruants, les merles et les autres oiseaux qui aiment tirer leur nourriture de la terre, et pour ceux qui aiment à se rouler dedans!

Tous les oiseaux sont les bienvenus ici. Même les vachers à tête brune se sentent à l'aise chez Micheline : après la pluie, ils viennent s'abreuver dans la toile de la piscine, comme si elle leur appartenait. Ainsi, outre le couple de moucherolles qui niche sur le côté de la maison, le jardin des Dussault est fréquenté par les parulines à couronne rousse, les mésanges, les bruants, les chardonnerets jaunes, les roselins pourprés, les sizerins flammés et les sittelles; ces deux dernières espèces sont plutôt observées en hiver. Au printemps, les juncos ardoisés et les gros-becs errants s'y arrêtent aussi. Les tourterelles tristes sont plus d'une dizaine cette année et ont élu

Sizerin flammé

domicile dans les bouleaux. Enfin, c'est en famille que les geais bleus atterrissent dans le jardin pour réclamer à manger.

Voilà bien dix ans que Micheline et son mari s'intéressent aux oiseaux. Et la passion ne bat pas de l'aile, au contraire. Avec les années, les enfants ont quitté la maison, ce qui leur laisse plus de temps pour jardiner et pour observer la faune ailée. Capable de reconnaître les oiseaux, le couple cherche maintenant à les identifier par leur chant. L'un de leurs plus chers désirs est de transmettre à leurs sept petits-enfants leur amour de la nature via les oiseaux. Heureuse initiative!

JOLIETTE : LES OISEAUX DE PROIE LES FASCINENT!

L A maison centenaire de Michelle et Michel Boulard trône, magnifique, tout près du centre-ville de Joliette, dans la région de Lanaudière. La passion de Michelle Boulard pour les oiseaux de proie n'est pas banale. Les photos qui décorent les murs de la maison, de même que celles qui abondent dans l'album, toutes témoignent de moments privilégiés passés en présence de ces oiseaux assez particuliers.

Bien que le couple ait toujours possédé des nichoirs, Michelle et son mari se sont inscrits, il y a une douzaine d'années, à un club d'ornithologie. Ce fut la révélation, le coup de foudre. Depuis, leur amour des oiseaux les a entraînés loin… jusqu'au Costa Rica, où ils se sont rendus pour les observer.

C'est beaucoup par défi que les Boulard se sont mis à l'observation des oiseaux de proie. Michelle, à force de patience, a même réussi, événement rarissime, à nourrir un harfang des neiges. Parmi quelque cinq mille photos d'oiseaux de proie, croqués dans toutes sortes de circonstances et à toutes sortes d'endroits, celles qui montrent le harfang des neiges plongeant les ailes déployées vers la nourriture offerte par Michelle sont impressionnantes, voire émouvantes.

D'autres espèces de rapaces sont également venues manger dans les mains de Michelle qui, à une certaine époque, élevait même des souris dans le seul but d'attirer ces oiseaux. Comme en témoigne Michelle, cette expérience demande beaucoup de patience, d'observation et de respect pour la nature. La capacité de se fondre dans la nature pour les attirer s'acquiert lentement. Michelle ajoute qu'il ne faut surtout pas les tromper, les trahir, mais plutôt les respecter. Elle garde d'ailleurs jalousement secrets les endroits où elle a aperçu et ensuite nourri ces oiseaux!

Chouette épervière

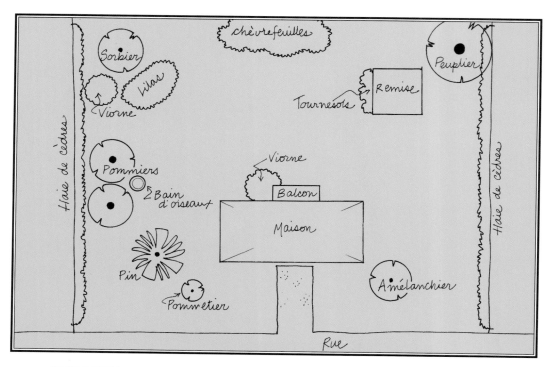

chèvrefeuilles

Sorbier

Lilas

Viorne

Haie de cèdres

Peuplier

Remise

Tournesols

Pommiers

Viorne

Bain d'oiseaux

Balcon

Maison

Pin

Amélanchier

Pommetier

Haie de cèdres

Rue

Autour de la maison située, rappelons-le, en pleine ville – car Joliette compte tout de même près de 20 000 habitants – le couple Boulard observe, outre les oiseaux de mangeoires qui nous sont plus familiers, d'autres espèces, notamment les crécerelle, pie grièche, épervier brun, épervier de Cooper, chouette épervière et même un grand-duc, qui niche non loin de la maison, probablement dans l'un des parcs municipaux voisins.

Étourneau sansonnet

Même si les Boulard aiment bien sortir pour observer les oiseaux, leur jardin n'est pas laissé pour compte. Ainsi, l'amélanchier, les monardes, les rudbeckies jaunes et la viorne trilobée aux baies rouges, tous plantés en bordure du balcon, attirent jaseurs d'Amérique, jaseurs boréaux et étourneaux sansonnets.

Sur le côté de la maison, un grand pin et un pommetier décoratif ont la même utilité tandis que parallèlement à une généreuse haie de cèdres, qui sert d'abri aux éperviers et aux crécerelles, deux pommiers, un sorbier, un bouquet de lilas, une autre viorne trilobée, un chèvrefeuille et quelques tournesols entourent le bain d'oiseaux.

Quelques mangeoires se balancent au grand pin qui fait face à la fenêtre de la cuisine d'où les Boulard font le guet. Les petits oiseaux tels les moineaux, roselins, chardonnerets et hirondelles – ces dernières trouvent ici chaque année un nichoir – fréquentent assidûment l'endroit. Beaucoup d'oiseaux en migration s'y arrêtent aussi; certains, comme un petit-duc, pourraient même nicher tout près, plus près qu'on ne le croit, à vrai dire.

Leur passion pour les rapaces a transformé le mode d'observation des Boulard. La patience, une très grande patience, et la compréhension, mais surtout l'adaptation de l'homme à l'animal, quel qu'il soit, et non pas le contraire, sont un gage d'harmonie avec la nature et le prétexte à des expériences sensorielles uniques.

Pic mineur

À SAINT-LAMBERT,
TOUT PEUT SURGIR DU BOIS!

À QUINZE minutes environ du centre-ville de Montréal, sur la rive sud, s'étend une banlieue verdoyante où règne une grande activité ornithologique. Théona Saint-Laurent et son époux, Ronald Shill, demeurent aux portes de Saint-Lambert, dans un quartier singulièrement boisé, malgré la proximité de la voie ferrée et du pont Victoria qui enjambe le fleuve Saint-Laurent.

Dans le jardin de Théona, il y a beaucoup d'oiseaux. Cela s'entend, cela se voit. Bien que la cour ne soit pas très grande, l'aménagement horticole y est original. Le sous-bois, tout au fond du jardin, donne l'illusion parfaite d'un prolongement du jardin vers la forêt. Pourtant, à cent mètres à peine du carré de framboisiers qui borde la cour, une voie ferrée rappelle que la civilisation n'est pas très loin.

Cela n'enlève absolument rien au cachet du jardin. Ainsi, dès l'abord, on y est accueilli par un bouquet de cèdres suivi d'une plate-bande garnie de jolies fleurs et d'arbustes divers. À l'extrémité de cette bande florale se dressent les frênes rouges, ces géants qui attirent une faune ailée très variée et sur lesquels les orioles du Nord aiment se percher et nicher. Avec les érables à sucre, tout à côté, ils forment une forêt dense, un refuge idéal pour les oiseaux. C'est dans cet espace, sous les grands arbres, que se cache le bain d'oiseaux.

Outre les grands arbres, une magnifique hydrangée anabelle, un autre carré de fleurs originales et de fines herbes embellissent le jardin. Près du patio, un pommier Melba promet de beaux fruits.

Cet aménagement, on le sent, est le fruit d'un travail de plusieurs années. Théona se souvient encore de l'époque où la cour servait de

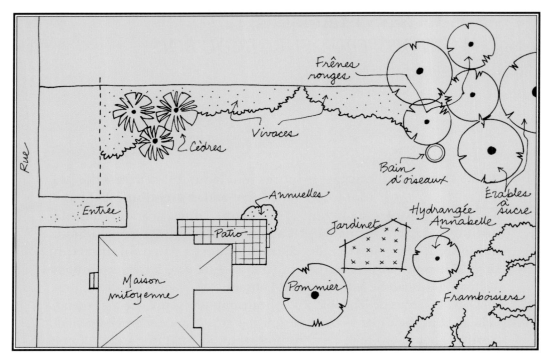

Rue

Entrée

Frênes
rouges

Vivaces

2 Cèdres

Bain
d'oiseaux

Érables
à
sucre

Annuelles

Patio

Jardinet

Hydrangée
Annabelle

Maison
mitoyenne

Pommier

Framboisiers

patinoire aux petits amateurs de hockey du coin. Parallèlement à ces années d'horticulture, le couple Saint-Laurent-Shill est amateur d'oiseaux depuis longtemps. L'apparence de leur guide d'identification des oiseaux en dit long; à le voir, on connaît certes les espèces qu'ils ont déjà aperçues dans leur jardin, mais on sait aussi que des années ont passé depuis leur toute première observation.

Les chardonnerets jaunes, les roselins familiers et les roselins pourprés, les jaseurs d'Amérique, les merles se sont installés à demeure dans le jardin. Les grands frênes rouges, quant à eux, servent d'abri aux orioles du Nord et aux cardinaux. Il n'est pas facile, pourtant, de les repérer, mais c'est sans compter sur le génie de madame Saint-Laurent qui a un truc pour apercevoir ces oiseaux qui vivent haut perché : elle installe son hamac entre deux arbres, se glisse dedans et profite du spectacle…

La sève des érables attire les pics mineurs tandis que les grimpereaux, qui apprécient le voisinage de ces arbres en pleine maturité, s'adonnent à leur exercice préféré : picorer les insectes cachés dans l'écorce des arbres. Fort beau travail!

En plus des visiteurs déjà mentionnés, d'autres oiseaux animent le jardin à différentes périodes de l'année. Au printemps, des colibris tournoient autour du pommier, tout près de la maison. C'est la saison où toute la volée de bruants s'abat en ces lieux, et aussi celle qui ramène les hirondelles, friandes des insectes qui pullulent dans le sous-bois de madame Saint-Laurent.

En hiver, c'est au tour des geais bleus, visiteurs occasionnels en d'autres saisons, des gros-becs errants, des sittelles, des fauvettes. Même un épervier brun a offert aux habitants de la maison le spectacle un peu cruel d'une dégustation de moineau. Les oiseaux d'hiver, et particulièrement le pic mineur, raffolent des galettes de suif suspendues aux arbres.

La variété et la quantité d'oiseaux qui fréquentent cette cour de Saint-Lambert est tellement fascinante qu'il n'est pas surprenant de voir le duo Saint-Laurent-Shill se promener dans le jardin avec des jumelles. À Saint-Lambert, on ne sait jamais ce qui peut surgir du bois!

Épervier brun

LA JOYEUSE HISTOIRE D'UNE TOURTERELLE TRISTE

Saint-Lambert foisonne de verdure. Le Saint-Laurent est tout près et l'air rempli de cris de goélands tout proches aussi. Nous sommes d'ailleurs à proximité de l'île de la Couvée, ainsi nommée parce qu'elle est peuplée de goélands à bec cerclé qui y nichent.

Colette Bourgault habite la rue des Flandres depuis vingt-quatre ans. Elle se rappelle sa première observation : le 2 avril 1977, une tourterelle triste s'était arrêtée dans son jardin. Sur les conseils d'un voisin qui avait des condos à hirondelles noires, Colette commence à installer elle-même des mangeoires en hiver.

Pourtant son jardin, coquet et très joliment aménagé, attire d'autres espèces que des hirondelles. Au printemps, quand ils sont en fleur, les deux pommiers adultes et non traités attirent les orioles qui reviennent à l'automne déguster les pommes à maturité.

Le patio de Colette donne sur le jardin où l'on trouve, en plus des deux pommiers, un févier, un bain d'oiseaux et une large plate-bande fleurie. Des iris, colléosis, astilbes et fougères garnissent cette lisière colorée, alors que dans un coin, comme un prolongement de la plate-bande, des plants d'hémérocalles, d'hostas et de rhubarbe forment un minuscule mais agréable sous-bois.

Une haie de cèdres trace la ligne entre les Bourgault et leurs voisins de gauche; quelques bouquets d'arbustes les séparent du décor asiatique des voisins de droite. Une lisière potagère borde la maison. Plusieurs pins grandioses agrémentent aussi les environs, dont la façade de la maison. Ces grands arbres attirent une faune ailée inhabituelle, dont un tyran tritri.

Tourterelle triste

Les visiteurs sont nombreux ici, même si Colette n'installe aucune mangeoire aux arbres, ni ailleurs en été. Ainsi, les roselins familiers, qui érigent parfois leurs nids dans les lampadaires des alentours, les tourterelles, les merles, qui affectionnent particulièrement le bain d'oiseaux, et les moineaux, animent le jardin tout l'été. Les quiscales dégustent les morceaux de pain que leur donne Colette en les mouillant d'abord d'eau; les carouges nichent dans les cèdres, les pics flamboyants aussi. Les cardinaux, quant à eux, visitent régulièrement les pommiers.

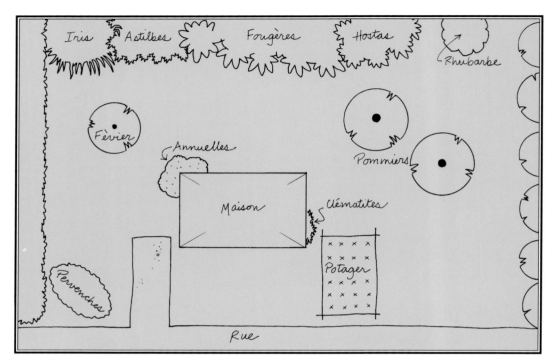

Au printemps, les juncos, les bruants à gorge blanche – les charmants
« Frédéric » – les mésanges et les sittelles de passage saluent les habitants
de la rue des Flandres.

Les hirondelles font leur nid dans les maisonnettes qui bordent les
fenêtres de la résidence. Colette les aime beaucoup et chaque été, elle
ramène de son voyage à la mer des plumes blanches qu'elle leur donne
le printemps suivant; les oiseaux s'en servent pour bâtir leur nid. Encore
une histoire d'entraide humains-oiseaux touchante et… à suivre!

Hirondelle noire

RIVE SUD: UN JARDIN QUI REGORGE DE VERDURE

*S*AINT-LAMBERT. En bordure du Saint-Laurent, à quelques centaines de mètres seulement du pont Victoria, cauchemar de bien des automobilistes, cette ville montre un visage vert étonnant. Son caractère « nature » viendrait de ses origines anglo-saxonnes, les anglophones étant réputés pour leur sens de l'aménagement horticole et leur bon goût. Le tracé des petites rues à la végétation luxuriante conduit tout naturellement chez Édith Moranville. Son jardin, un joli carré quelque peu embroussaillé, renferme à peu près tout ce qui est nécessaire à la faune ailée. Toute la végétation qui croît ici a été plantée par les propriétaires de la maison. Un grand érable, derrière lequel se profile un vinaigrier, trône, majestueux, formant un point au terme d'une haie de chèvrefeuilles qui isole la propriété de la rue. De grands érables rouges, repères des mésanges à tête brune, ferment la haie vers l'avant de la maison. Le fond du jardin est planté de pins, d'hydrangées, de fleurs et d'arbustes. Un marronnier se dresse aussi aux confins du terrain. Le balcon est chargé de cactus, la plante préférée d'Édith, et une belle place est faite au bougainvillier, magnifique. De grands bouquets de lilas et d'hydrangées garnissent les abords du patio.

Quant au bain d'oiseaux, discrètement dissimulé sous les pins, Édith aimerait bien un jour le remplacer par un étang creusé à même le sol. Comme elle a peu le loisir de jardiner en été – elle passe une bonne partie de son temps à la campagne – Édith souhaiterait posséder plus de conifères dans son jardin. Ces arbres servent de protection aux oiseaux en hiver, autre raison qui motive ce choix.

Les oiseaux apprécient tout de même ce petit jardin à l'allure un peu échevelée. Chardonnerets, roselins pourprés, tourterelles, carouges, merles, mésanges pullulent dans les lilas qui bordent le patio, pendant

**Mésange à
tête brune**

**Sittelle à
poitrine
blanche**

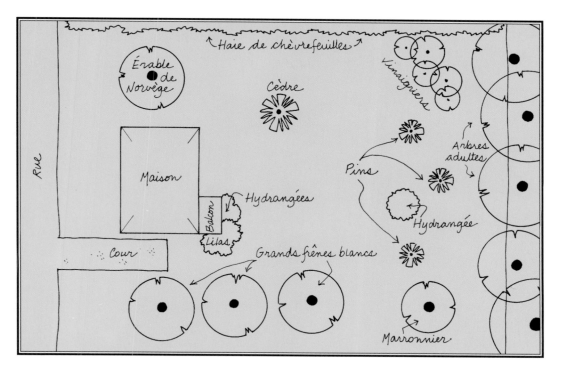

que les sittelles, cardinaux, geais bleus et engoulevents fréquentent la cour. De plus, de grands frênes qui bordent la propriété la séparent des voisins les plus proches – en l'occurrence madame Belleau à qui nous avons rendu visite –, attirent à tout coup les orioles du Nord et les pics. L'hiver, plusieurs des petits oiseaux, auxquels s'ajoutent les sizerins flammés, demeurent sur place.

Édith est, la toute première, fort étonnée de ses succès auprès de la gent ailée. Comme elle n'a guère de temps pour jardiner, elle ne croyait pas sa cour si fréquentée. Pourtant… C'est bien la preuve que la nature suffit pour attirer les oiseaux!

TOUS LES OISEAUX DE SA VOISINE ET PEUT-ÊTRE LE CARDINAL EN PRIME!

ONIQUE BELLEAU est la voisine d'Édith Moranville à Saint-Lambert. Toutes deux partagent cette passion pour les oiseaux. Monique, toutefois, passe l'été à bichonner son jardin, à planter, arroser, sarcler… Résultat : une belle cour fleurie, pleine d'attraits pour la gent ailée.

D'entrée de jeu, avec entrain, bonne humeur et beaucoup d'humour, Monique affirme que sans les oiseaux, elle ne saurait vivre et que c'est « juste pour le plaisir » qu'elle les gâte tant. Pour jouir de leur présence en tout temps, elle garde une mangeoire en permanence devant la fenêtre de sa cuisine. C'est aussi la raison de l'aménagement particulier de son jardin.

Les cèdres, qui dressent un écran de verdure sur trois des côtés de la maison, ont justement été choisis parce que les oiseaux les apprécient beaucoup comme abri. Devant la haie qui protège les résidents des regards indiscrets se dressent une épinette, un bouleau pleureur et la roseraie. Et au cœur de la roseraie, murmure… la fontaine. Ce point d'eau, installé là pour inciter les oiseaux à se baigner, remplit bien son office! Monique ne cesse de jouir du spectacle des quiscales bronzés qui s'ébattent sans gêne dans l'eau du bassin.

La vigne vierge qui grimpe au mur de la maison, face à la roseraie, est toute récente et, souligne Monique, on l'y a installée parce que beaucoup d'oiseaux aiment y nicher et parce que c'est très joli. En effet! Ce côté de l'habitation est doté d'un petit balcon garni de pétunias de jolies couleurs au pied duquel pousse un vinaigrier. Surprise! en levant les yeux, on aperçoit un hibou qui surveille le jardin. Cet épouvantail est censé éloigner les pigeons. Il paraît que cela n'a guère d'effet, car les pigeons s'habituent à voir ce prédateur immobile.

Paruline masquée

Pic
flamboyant

À l'arrière de la maison, on trouve des conifères, épinettes et pins, des feuillus, érables et frênes, des arbres fruitiers et des fleurs. En suivant cette ligne verte, on aboutit à l'autre côté de la maison, où l'on découvre de grands frênes, un érable de Norvège et la grande mangeoire.

Édith, la voisine, demeure toujours incrédule devant la certitude de Monique à l'effet que des cardinaux nichent à proximité. Il est toutefois vrai que leur chant se fait entendre et Monique les a vus plusieurs fois venir s'alimenter à ses mangeoires; elle a même noté que ces oiseaux à la robe éclatante sont les premiers à la mangeoire le matin et les derniers le soir. Ils ne peuvent donc nicher bien loin… Malgré cela, Édith demeure sceptique.

Parmi les visiteurs du jardin de Monique, on compte les roselins et les chardonnerets, bien sûr! mais aussi les mésanges, les sittelles à poitrine blanche, les parulines masquées, les carouges, les hirondelles bicolores et les pics flamboyants. En somme, tous les oiseaux qui vont aussi chez Édith… avec en prime le cardinal!

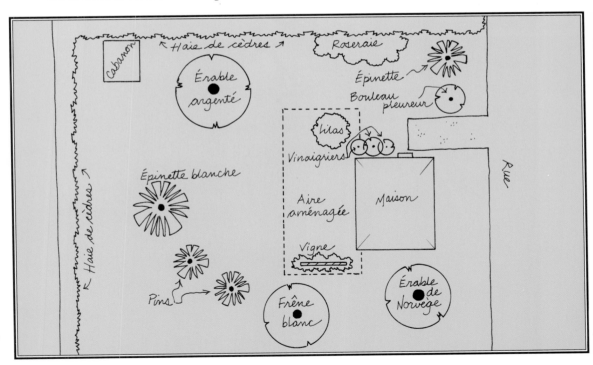

Bruant chanteur

UN JARDIN EXTRAORDINAIRE
OÙ LES OISEAUX PARLENT L'ANGLAIS

RÉVILLE-EN-BAS est l'un des tout premiers quartiers de Saint-Lambert. Les demeures de ce quartier dessiné par Harold Spence-Sale, premier professeur d'architecture à l'Université de Montréal, sont magnifiques. Plusieurs d'entre elles, en pierre des champs, sont des maisons cossues, somptueuses, parfois même des petits manoirs, et leur altière robustesse dénote la fortune de leurs propriétaires. Beaucoup laissent entrevoir des jardins beaux à couper le souffle. Très peu accessibles aux regards extérieurs, toutefois, ces propriétés! Sauf celle de Josette Lafortune.

Sa maison, classée monument historique par la ville de Saint-Lambert, était celle de la famille du célèbre architecte Spence-Sale. Une maison de facture moderne pour l'époque (années 1950), avec un jardin superbe. L'aménagement du terrain, conçu par Spence-Sale, Josette l'a laissé pour ainsi dire tel qu'il était en 1970, lorsqu'elle et son mari ont acheté la maison. En raison de son originalité, des photos de ce jardin ont été publiées dans plusieurs magazines. Sa beauté, de fait, n'est bien mise en valeur que par des images.

Josette, d'aussi loin qu'elle s'en souvienne, a toujours été proche de la nature. Tout, tout, tout, végétaux, animaux et même insectes, la passionnait. L'achat de cette maison facilitait l'observation des oiseaux, fort nombreux dans les environs. La proximité du Saint-Laurent, qui coule à quelques centaines de mètres, et le voisinage d'un parc, n'expliquent qu'en partie la fréquentation de ce jardin par les oiseaux.

Les arbres constituent l'attrait principal de ce terrain. L'un des plus intéressants, parce qu'il est très près de la maison, en face des fenêtres et à côté des mangeoires, est sans contredit le bouleau pleureur. Les

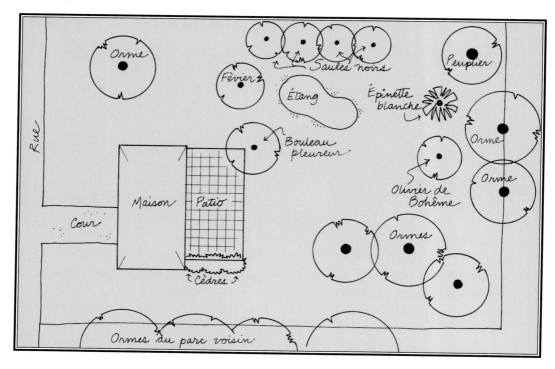

sittelles à poitrine blanche et à poitrine rousse l'aiment beaucoup, les mésanges s'y perchent aussi avant de se rendre aux mangeoires. À l'ombre du bouleau, le clapotis d'une jolie fontaine attire toute la gent ailée, en particulier les moucherolles tchébecs, abondants en ces lieux.

Assez près de la maison, de manière à voir les colibris, Josette n'a pas jugé nécessaire d'installer le classique abreuvoir rempli de liquide rouge. Comme elle n'est pas toujours là pour le remplir, elle a préféré garnir ses jardinières de fleurs rouges, tout simplement. Les rosiers remportent également la faveur des oiseaux-mouches. Les grands saules tortueux sont aussi très populaires; dans le jardin de Josette, ils tracent une sorte de ligne conductrice jusqu'aux mangeoires, comme une étape. Les parulines, les chardonnerets, les bruants fauves, les bruants de Lincoln et les bruants chanteurs, de même que la famille du cardinal s'y pressent en foule. La femelle cardinal est de toute façon une habituée du jardin de Josette, elle vient pour ainsi dire manger dans sa main!

La propriétaire des lieux constate l'importance de procurer aux oiseaux différents niveaux d'observation. Ainsi, les peupliers qui se

dressent à côté de la maison abritent des bouquets de chèvrefeuille, ce qui leur assure un refuge et sert également de poste de surveillance de choix avant d'aller manger. Chez Josette, les orioles du Nord ont de la prédilection pour ces grands arbres élancés.

La diversité est la marque de commerce de ce jardin. D'autres arbres croissent un peu partout sur le grand terrain, épinettes, pommetier pleureur, févier, pruche, frênes, érables et cèdres. Tous servent d'appât, mais le sorbier entraîne cependant des comportements singuliers chez certains oiseaux, notamment les jaseurs d'Amérique. L'arbre ne garde pas longtemps ses petits fruits : aussitôt qu'ils sont mûrs, les jaseurs s'en gavent; après avoir fait ripaille, ils paraissent être en état d'ébriété!

Outre les arbres et les fleurs, des choses étonnantes se cachent dans le jardin de Josette, notamment des reliefs de l'ancien hôtel Windsor, en l'occurrence des sculptures qui en ornaient l'extérieur. Assez

Paruline à joues grises

particulier, aussi, le bain d'oiseaux, creusé dans une grande pierre à même le sol. À n'en pas douter, les oiseaux l'ont adopté.

Parmi les visiteurs ailés du jardin de Josette, on dénombre les roselins, les bruants chanteurs, les hirondelles, les geais bleus, les grimpereaux, beaucoup de tourterelles tristes, surtout en hiver, et les autres, mentionnés précédemment. Un pic flamboyant qui, selon Josette, nicherait dans l'un des saules du parc voisin de la résidence, vient saluer la propriétaire sur son terrain. Des pics mineurs abondent aussi dans les environs.

Les observations de Josette ne se bornent pas aux limites de sa propriété. Elle n'a toutefois pas à aller bien loin : son terrain devient un petit boisé constitué d'espèces d'arbres différentes qui attirent de ce fait d'autres oiseaux. Josette affirme avoir vu là des espèces plus sauvages, des parulines à joues grises et des moqueurs chat, par exemple, et un

petit-duc maculé. Josette a le tour avec ses oiseaux! Certains manifesteraient même, à leur façon, leur désir de voir se remplir les mangeoires! En septembre surtout, quand le thermomètre se met à descendre, les oiseaux savent fort bien attirer son attention! La réponse n'est pas longue à venir : Josette, en bonne amie de la faune ailée, est toujours aux aguets!

COMME DANS UN FILM
DE JOHN IRVING

Nous sommes encore à Saint-Lambert, dans une de ces petites rues animées d'enfants, de fleurs et de musique... Un violon s'acharne sur une note particulièrement difficile... la mélodie reprend, superbe! Sympathique comme dans un film de John Irving, cette rue!

La maison de la famille Malo se prolonge dans un petit jardin, coquet et bien aménagé, qui est le résultat de vingt-trois années de patience et de labeur horticole. À l'origine, il n'y avait rien sinon un sapin et quatre piquets de corde à linge! Pour Sonnie Malo, le contact avec la nature est un besoin, une nécessité. Dans son Autriche natale, toute petite, elle observait son père qui soignait les oisillons tombés du nid. Sa mère participait même au sauvetage en attrapant les mouches qui nourriraient la couvée!

Dans leur propriété de Saint-Lambert, les membres de la famille Malo se sont donc efforcés de satisfaire aux besoins de la faune ailée. On s'en aperçoit en pénétrant dans ce jardin dont la qualité première tient en un mot : *respect*. Respect de l'environnement d'abord : aucun pesticide ou insecticide n'est utilisé sur le terrain. Même les araignées sont gardées en vie, pour leur apport à la nature. Respect de la nature donc, mais aussi des oiseaux à qui les Malo offrent un couvert naturel, de nombreux sites de protection et de l'eau. Ce dernier élément vient surtout du gicleur que Sonnie laisse parfois ouvert afin de permettre aux oiseaux de se rafraîchir et de s'abreuver. Ses visiteurs les plus assidus : les merles d'Amérique.

Comme elle a constaté que les oiseaux se précipitaient souvent sur les fenêtres miroitantes où se reflétaient les arbres et les fleurs du jardin, se tuant sur le coup, Sonnie prend maintenant bien soin de ne pas trop les astiquer. L'une des concessions faites à la nature, qui s'impose souvent!

Moqueur roux

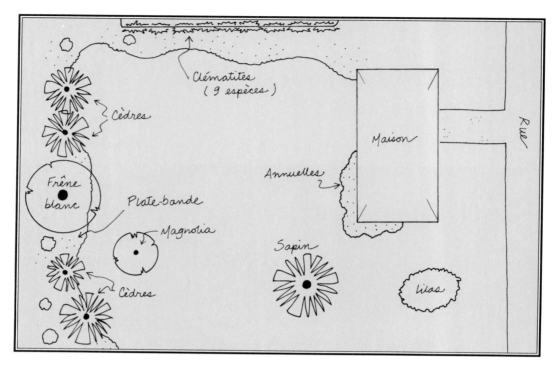

Les Malo considèrent que l'environnement réserve suffisamment de nourriture à l'avifaune; c'est pourquoi, en été, ils ne suspendent pas de mangeoires. Mentionnons toutefois que Sonnie et son mari ont planté de nombreuses espèces de plantes propices au bonheur des oiseaux, notamment le bouleau, dont sont friands les chardonnerets, et les cèdres, parce qu'ils procurent, en plus de leurs cônes, un bon abri à leurs petits visiteurs.

Les chèvrefeuilles grimpants et les bouquets de fuchsias suspendus sont une idée des Malo pour attirer les colibris. Sonnie se refuse à les séduire au moyen de liquide rouge sucré. Les Malo aiment nourrir les oiseaux, certes, mais de la façon la plus naturelle possible!

Même en l'absence de mangeoires, beaucoup d'oiseaux fréquentent leur jardin. L'été, la maisonnée est souvent réveillée par leurs chants. Sonnie et son compagnon ont déjà compté jusqu'à quatorze couples d'oiseaux d'espèces différentes dans le grand sapin dressé à quelques mètres seulement du balcon. Parmi eux, des roitelets à couronne rubis et à couronne dorée dont le chant plaît beaucoup à Sonnie, des

Pic à dos noir

moqueurs chat, des moqueurs roux, et bien d'autres dont les mésanges à tête brune, assez rares, des mésanges à tête noire et des mésanges bicolores. Le sorbier des oiseleurs, qui trône en plein milieu de la cour, entre les cèdres et les fleurs, n'est sûrement pas étranger à la popularité du jardin des Malo, ni le pommier, sur le terrain du voisin, à l'arrière.

Le jardin est également visité par les sittelles à poitrine rousse, les pics à dos noir, les grimpereaux bruns, les moucherolles (pas seulement les verts), les geais bleus et les geais du Canada, les grives à joues grises, les grives solitaires, les étourneaux, les jaseurs d'Amérique et les jaseurs boréaux, les carouges et même des viréos dont le chant mélodieux berce les Malo. Ceux-ci ont répertorié une vingtaine d'espèces de parulines sur leur terrain et, à l'automne, une pie grièche. Un merlebleu s'est même arrêté au jardin, le temps d'être admiré!

Variété et naturel, deux mots d'ordre suivis par les Malo, et de fort belle façon!

CARTIERVILLE : LES OISEAUX SONT LEURS COMPAGNONS DEPUIS VINGT-CINQ ANS

ARTIERVILLE est située sur les bords de la rivière des Prairies, elle-même longée par le boulevard Gouin. On trouve plein de surprises sur ce long ruban d'asphalte dont un hôpital, plusieurs espaces verts et surtout, de beaux grands arbres, des caryers et des peupliers géants qui se bercent doucement sur les berges du cours d'eau.

La petite rue en forme de croissant où habitent les Leduc-Gauvin, à deux pas du croisement des boulevards Laurentien et Gouin, offre un paysage très vert, ponctué de grandes épinettes, d'érables et de cèdres majestueux. La maison est par ailleurs bordée de haies de cèdres qui servent d'abri pour les nids des merles qui abondent dans les alentours.

Les oiseaux sont en étroite relation avec la famille de Jocelyne Leduc et Antoine Gauvin depuis plus de vingt-cinq ans. À l'époque, les enfants, encore bambins, accompagnaient même leurs parents lors de leurs sorties à la Société de biologie de Montréal. Une longue histoire d'amour qui persiste… Aujourd'hui encore, l'un des plus grands plaisirs de Jocelyne, au printemps, est de s'installer au jardin et de se faire donner la sérénade par les oiseaux, de sentir la complicité qui se tisse entre elle et ses amis ailés. Plusieurs anecdotes illustrent d'ailleurs la relation conviviale qui existe entre la famille et les oiseaux.

L'été, à la fête des pères, les Leduc-Gauvin décrochent les mangeoires. Le jardin reprend lentement vie et les oiseaux, en cette période de l'année, donnent un bon coup de main à la nature. Jocelyne a observé qu'après la fonte des neiges, juste avant l'apparition des fleurs, les oiseaux, les bruants fauves entre autres, viennent fouiller la terre à peine dégelée de la plate-bande de vivaces et d'annuelles. Les merles, les juncos et les bruants à gorge blanche les imitent, provoquant du même coup l'aération du sol.

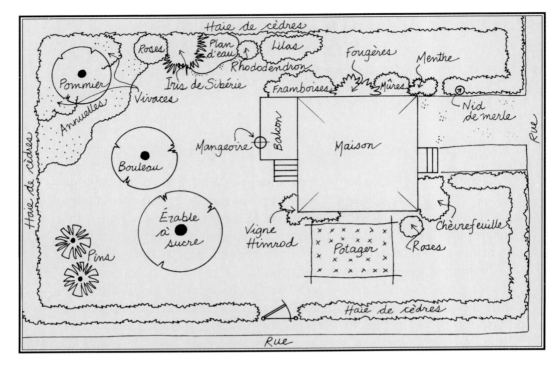

Jocelyne a noté que le roitelet à couronne rubis et les parulines à croupion jaune se montraient très tôt, dès la fin du mois d'avril. La grive à dos olive passe ensuite d'une semaine à dix jours dans le pommetier et dans la haie de cèdres.

L'épinette devant la maison abrite un nid de tourterelles; Jocelyne raconte qu'un printemps, les oisillons s'étaient trouvés en bien mauvaise posture, perdus qu'ils étaient dans la terre du potager dont ils avaient la couleur.

Le jardin se déploie à l'ombre d'un bel érable argenté et d'un grand bouleau blanc. Ces deux arbres âgés d'une trentaine d'années ont été plantés par les anciens propriétaires. D'origine suisse, ces gens possédaient alors tous les terrains du quadrilatère et y élevaient des petits animaux de ferme dont des poules! En hiver, les oiseaux aiment bien se percher sur ces arbres avant de se rendre aux mangeoires. Ils y reviennent ensuite pour déguster les graines puisées dans l'auge.

On trouve donc, fleurissant sous ces feuillages, une large plate-bande composée de plantes vivaces, d'annuelles, de rosiers et d'un pommier.

Jocelyne a observé que les chardonnerets s'en donnaient à cœur joie dans les centaurées bleues. La plate-bande se prolonge par des iris de Sibérie, des rhododendrons et des lilas. Le bain d'oiseaux, un petit plan d'eau creusé à même le sol, coupe cette ligne fleurie. Très populaire auprès des oiseaux, le petit étang est surtout visité quand il est fraîchement nettoyé! Les merles et les étourneaux y boivent et s'y baignent, mais, surprise! d'autres petits animaux tels les mouffettes, les ratons laveurs et les lapins sauvages s'y abreuvent aussi!

Amateurs d'horticulture, les Leduc-Gauvin ont suivi un cours en aménagement paysager au Jardin botanique de Montréal, à la suite duquel ils ont installé le potager sur le côté de la maison qui est exposé au soleil, et planté un chèvrefeuille en façade. Une vigne jouxte le potager tandis que l'autre côté de la résidence est garni d'arbustes fruitiers, entre autres des framboisiers et des mûriers.

Puisque à la belle saison la nature se charge de nourrir les oiseaux, les mangeoires sont retirées du jardin. Selon le couple, un oiseau en

Junco ardoisé

attire un autre; la présence de visiteurs ailés qui se sentent en sécurité dans ce jardin en incite d'autres à venir.

Cette tactique des Leduc-Gauvin donne de bons résultats puisqu'une foule d'oiseaux se pressent dans leur cour, été comme hiver. Les mésanges, les sittelles à poitrine blanche, les étourneaux, roselins et pics, un couple de cardinaux (il y a passé son premier hiver en 1995, mais niche dans les alentours depuis plusieurs années), viennent plutôt en hiver. Le printemps ramène les juncos ardoisés, les bruants familiers, les carouges, les quiscales bronzés, les merles et une rareté, un troglodyte de Caroline. C'est aussi à cette époque que se montrent les grives à dos olive, les grives solitaires et les chardonnerets. Beaucoup de ces oiseaux ne sont qu'en transit, d'autres restent tout l'été. En mai, les orioles du Nord sont visibles dans les grands arbres de l'Institut Prévost, juste à côté.

Bruant familier

D'autres espèces plus rares comme les martinets ramoneurs et les engoulevents révèlent leur présence aux Leduc-Gauvin; ils passent, mais ne s'arrêtent pas! Les corbeaux, corneilles et outardes, attirés par la rivière toute proche, sont également du nombre des visiteurs occasionnels.

Fort animé, donc, ce jardin, même s'il n'est pas très grand. La proximité de la célèbre pâtisserie de Gascogne y serait-elle pour quelque chose?

LES VIEUX ARBRES DE BOUCHERVILLE, TOUTE LA FAUNE AILÉE Y PASSE

Pour visiter le vieux Boucherville, il faut emprunter le boulevard Marie-Victorin qui longe un fleuve Saint-Laurent tout en beauté. Ses deux marinas animées et sa piste cyclable bondée en font un espace des plus fréquentés.

Cette section de banlieue située sur la rive sud est assez ancienne pour être ornée de beaux grands arbres et de magnifiques trouées de verdure. Des espaces récréatifs, mais d'autres aussi, qui n'ont d'autre fonction que d'ajouter davantage de beauté au paysage.

C'est dans ce décor que vit Marie-Josée Kirouack. Sa passion pour les oiseaux date de son adolescence qui coïncidait avec le retour à la terre de ses parents. À la campagne, en plus de les observer, elle s'était inventé un jeu qui consistait à imiter leurs cris et, ensuite, à dialoguer avec eux. Elle a déjà reçu, m'a-t-elle dit, une réponse d'un engoulevent.

Quelques années plus tard, installée dans sa maison de Boucherville, non seulement elle achète une mangeoire, mais se met elle-même à en fabriquer. La « gloriole », une hutte de bois somptueuse et spectaculaire, placée à côté du bouleau pleureur, et la mangeoire accrochée au poteau réservé à cet effet témoignent du réel talent d'ébéniste de Marie-Josée.

En plus des mangeoires, Marie-Josée et une amie ornithophile, Diane, ont planté des arbustes et des fleurs qui attirent les oiseaux. Elles ont noté que les colibris aimaient beaucoup le fuchsia suspendu au-dessus de la porte-fenêtre, ainsi que les chèvrefeuilles. Le « complexe à mangeoires » trône bien en vue du patio qui, lui, est orné de pétunias en pots et d'un bouquet de spirées. À l'extrémité du jardin, une plate-bande composée de clématites, de sédum et de rosiers borde un petit étang.

De beaux arbres ornent également la cour, des arbres singuliers tels cet olivier de Bohême, ce bouleau pleureur dont on surveille la

Oriole du Nord

Grive à dos olive

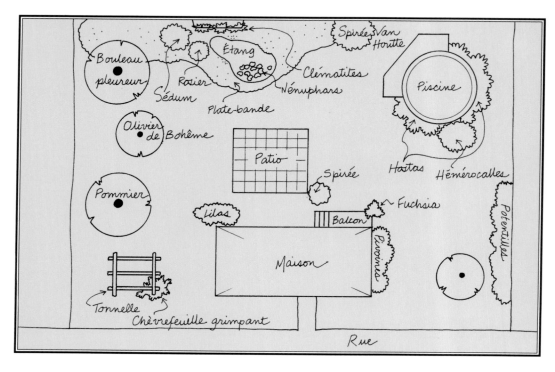

croissance, et d'autres plus communs, comme un pommier et des lilas. La propriété est séparée de celle des voisins par une haie de potentilles.

Tous les éléments, nourriture, eau et protection, se trouvent réunis dans ce jardin qui attire du coup une grande diversité d'oiseaux dont certains y demeurent toute l'année. C'est le cas des roselins pourprés, des chardonnerets jaunes, des moineaux, des bruants familiers. Puisque la propriété se trouve sur la voie de migration du Saint-Laurent, plusieurs oiseaux se manifestent selon les saisons : les grives à dos olive, les chardonnerets des pins, les quiscales bronzés, les vachers à tête brune, les carouges à épaulettes, les juncos ardoisés, qui se font parfois sédentaires, les cardinaux – Marie-Josée a noté qu'ils étaient beaucoup plus nombreux en 1995 –, les parulines flamboyantes, les étourneaux sansonnets, les jaseurs d'Amérique, les sittelles à poitrine blanche, les mésanges à tête noire, les geais bleus, les hirondelles bicolores, les colibris, les merles et les orioles du Nord. Les orioles et les colibris viennent surtout l'été.

D'autres sont uniquement de passage : les gélinottes huppées, les gros-becs errants et les bruants des neiges. Le voisinage du Saint-Laurent entraîne aussi dans le jardin de Marie-Josée des oiseaux que l'on voit rarement dans une cour, tels les colverts, qui nichent sur la rive sud. Elle affirme aussi voir beaucoup plus de grands hérons sur les rives du fleuve depuis quelques années.

Bien qu'elles soient maintenant habiles à identifier les oiseaux, Marie-Josée et Diane soulignent que tous ceux qui visitent leur jardin n'ont pas encore été identifiés; malgré cela, elles ont déjà commencé à s'initier à la reconnaissance de leurs cris. Nul doute qu'elles n'en manqueront plus un seul…

À BOUCHERVILLE, UN SITE DE RÊVE

BOUCHERVILLE. Des rues en lacets, des maisons assez rapprochées, quelques grands arbres, peu de verdure, mais... une belle surprise. Derrière la maison de Gilles Robinson, une grande verrière parfumée par des plantes magnifiques donne sur le jardin. Sur *les* jardins plutôt.

La propriété de Gilles Robinson, il faut le reconnaître, a beaucoup d'atouts divers. Une passion pour les plantes anime Gilles et Julie, sa conjointe, passion qui se traduit dans l'aménagement de la cour par la création de plusieurs petits secteurs de culture, dont le potager, sur le côté de la maison, et « l'armoire » aux herbes le long de la verrière.

Devant cette fenêtre ouverte sur la nature s'écoule le spectaculaire bassin construit par Gilles. Ce plan d'eau est composé de quatre paliers dont les premiers mènent à l'étang, d'une profondeur de 2 mètres, qui sert également de piscine à ses propriétaires. L'eau s'écoule ensuite comme un ruisseau dont le tracé se perd au fond du jardin parmi les tapis de thym et autres fines herbes servant de couvre-sol. Le tout est alimenté par une pompe d'une capacité de 20 000 litres à l'heure!

Cette idée de bassin est venue aux propriétaires quand ils ont vu leur cour envahie par une nuée d'oiseaux en migration. Puisqu'il n'y avait guère de variétés botaniques sur le terrain, à part un ou deux arbres, le couple s'est mis à la tâche... Le travail a été effectué en dix-huit mois : le résultat est saisissant. D'autant plus que tout ce qui est planté ici – fleurs, couvre-sols, fines herbes – provient de semis que les maîtres des lieux ont eux-mêmes préparés à l'intérieur. Près de 90% des plantes et plants mis en terre sont des vivaces. Quelques grappes de fleurs sauvages ont été ramenées de leur propriété précédente.

La végétation se répartit comme suit autour du terrain : sur un côté de la maison, probablement le moins fréquenté par les humains, grimpe

Geai bleu

Paruline à
poitrine baie

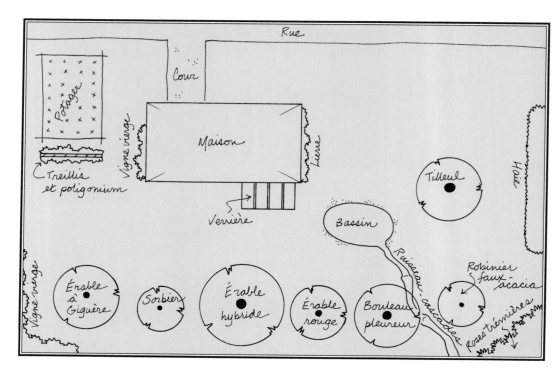

un lierre où nichent des chardonnerets. Ce coin du jardin, protégé par un grand tilleul, est couvert de fleurs. Au fond, près de la clôture, poussent des cèdres, un robinier faux acacia et, de l'autre côté du ruisseau, un bouleau pleureur, château fort des geais bleus, côtoie un érable. Au pied de ces arbres, le couple a planté plusieurs espèces de fleurs et de couvre-sols : des cosmos, des roses trémières, des graminées et des monnaies-du-pape.

La plate-bande qui prend le relais des grands arbres est composée d'astilbes, de cèdres en arbustes et de rudbeckies. Devant elle se dresse un sorbier des oiseleurs et, un peu plus loin, un érable à Giguère. Le sorbier est déjà très fréquenté tout l'été par les oiseaux. Ce sera probablement le délire quand les beaux fruits rouges seront à point! Le bouleau et le tilleul, surtout quand ce dernier est en fleur, sont également les préférés des oiseaux.

Le potager clôt le cercle végétal qui entoure la maison, mais ce qui retient l'attention, c'est le jardin de fines herbes, tout à côté du bassin. Varié et fleuri, ce petit coin odorant ne sert pas seulement à parfumer

les mets cuisinés dans la maison. Ce ne sont pas les oiseaux qui butinent la ciboulette, le basilic et les autres verdures tout aussi goûteuses les unes que les autres, ce sont les abeilles et les papillons.

Les propriétaires observent surtout ici des chardonnerets jaunes, des tourterelles tristes, des roselins familiers, des hirondelles bicolores, des carouges à épaulettes et des parulines à poitrine baie. Aucun colibri ne s'est encore manifesté malgré la plantation de monardes, l'une de leurs fleurs favorites. La propriété est récente, à peine deux années d'essais et erreurs pour connaître et reconnaître les visiteurs ailés et leurs préférences en matière de fleurs et de plantes. Tous les éléments sont toutefois réunis en ces lieux pour attirer des oiseaux.

À BOUCHERVILLE,
UN JARDIN À L'ANGLAISE

BOUCHERVILLE n'est pas la banlieue de béton et d'allées de grands magasins à laquelle on s'attend. Surtout pas la partie qui longe la rive sud du Saint-Laurent, où habitent Manon et Richard, en face des îles de Boucherville. Les grands arbres abondent, c'est vert partout et très paisible.

Richard Piché et sa conjointe, Manon, sont de vrais passionnés. Pas des « cocheux », ces observateurs dont le seul objectif est de compiler le plus grand nombre possible d'observations. Pourtant, Richard et Manon ont aménagé leur cour dans un seul but : séduire les oiseaux. Leur propriété est, comme le dit Richard, une table bien garnie pour la faune ailée.

Ce jardin à l'anglaise, d'un style un peu brouillon qui plaît beaucoup aux oiseaux, est bordé de cèdres. Des arbres adultes dont un érable à sucre, deux bouleaux et beaucoup d'arbustes fruitiers garnissent le jardin, tandis qu'une piscine pour les humains et un étang pour les oiseaux se côtoient. Du patio ceinturé de fleurs, toutes choisies en raison des préférences de la gent ailée, on peut contempler les baigneurs, les uns comme les autres. À l'avant de ce site de choix pour l'observation se dresse un érable mort percé de trous, qui sert d'abri aux pics. Ces derniers affectionnent particulièrement ce genre de refuge.

À la gauche du patio, un sous-bois a été aménagé sous le grand bouleau blanc. Cet espace ombragé, où se trouve l'unique mangeoire d'été, est fort convoité par les oiseaux amateurs d'insectes et de vers de terre, comme les merles et les bruants chanteurs. Les oiseaux s'y rendent aussi pour se vautrer dans la terre et débarrasser leur plumage des parasites qui s'y logent.

L'étang en paliers, creusé par Richard et Manon, est le résultat de plusieurs années d'observation : son débit, sa profondeur et la puissance

Pic à tête rouge

des remous sont ajustés de manière que les oiseaux puissent y boire sans être emportés ou déstabilisés par le courant et les remous. Le palier supérieur, plus profond, a été conçu pour la baignade. La cascade coule dans une mare profonde où des poissons rouges et blancs s'agitent. Autour de l'étang, des souches et une branche de bois mort surélevées servent de belvédère. Ces perchoirs sont très importants pour la sécurité des oiseaux, à un tel point qu'en l'absence de tels perchoirs ils ne se baignent pas.

Pour attirer la plus grande diversité d'oiseaux possible, Manon et Richard ont planté toutes sortes d'arbustes et de fleurs : mûrier, sorbetier, cerisier, bleuets, framboisier, gadelier et trois variétés de sureau. À peine les petits fruits sont-ils prêts à être consommés que les oiseaux se les disputent. Manon raconte n'avoir même pas le temps d'y goûter, mais puisque c'est pour leurs hôtes qu'ils les ont plantés, pourquoi le regretter!

Les fleurs aussi sont soigneusement sélectionnées : des jostas, des rudbeckies, des cosmos, dont les fleurs produisent des graines fort prisées par les oiseaux, se balancent à côté de la piscine, tandis que des delphiniums, ces belles grandes fleurs mauves dont les colibris raffolent, bordent l'escalier qui conduit au jardin. Manon ne coupe jamais les fleurs fanées afin que les oiseaux puissent se délecter de toutes leurs graines.

Chez eux, Manon et Richard ont observé jusqu'à une cinquantaine d'espèces d'oiseaux, résidents ou de passage. Il n'est pas rare d'en apercevoir qui soient assez insolites, comme ce grand héron, volant au-dessus de leurs têtes, au petit déjeuner (le Saint-Laurent est tout près),

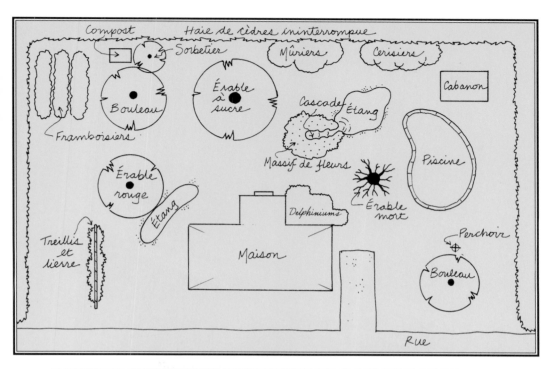

Troglodyte familier

ou des hérons verts! Un cardinal se perche souvent sur l'une des branches mortes du bouleau à côté de la maison, branches préservées à cet effet. Une fauvette rayée s'est même posée dans l'érable devant la maison. Le terrain en façade, également aménagé pour attirer la faune ailée, est magnifique. Un bassin qui sert de vivier pour les poissons de la mare située à l'arrière, de grands arbres dont un magnifique érable rouge, un jardin de fougères bien ombragé, tout, là aussi, est disposé pour plaire aux oiseaux.

Parmi les amis qui visitent la cour bien garnie de Richard et Manon, on dénombre des bruants, des merles, des chardonnerets, des roselins, des moineaux, mais aussi un geai bleu – qui adore les coquilles d'œufs de la boîte à compost, sa mangeoire de prédilection –, des colibris, plusieurs tourterelles tristes, dont un couple niche dans le bouleau, des jaseurs d'Amérique et d'autres encore. Ils ont aussi aperçu un gros-bec à poitrine rose, un pic à tête rouge, un moqueur polyglotte, un troglodyte familier, des grives à dos olive, qui se gavent d'insectes et de vers de terre, ainsi que des roitelets à couronne rubis.

Manon et Richard observent les oiseaux et se documentent à leur propos depuis plus de treize ans. Cela date de leur séjour à Longueuil où leur amour pour l'avifaune dérangeait les voisins qui n'y voyaient que désagréments : autres gens, autre culture, autres valeurs. À leur première maison perdue au milieu des champs, à Varennes, venaient des harfangs des neiges, l'hiver, des maubèches et d'autres espèces somme toute assez différentes de ce qu'ils voient aujourd'hui.

Le développement résidentiel les a chassés de Varennes. Manon insistant pour cohabiter avec les oiseaux, ils ont choisi leur maison de Boucherville avec une cour où ils pourraient les attirer. Grâce à leur patience, à leurs observations et à leur amour de l'avifaune, ils en profitent à foison!

À REPENTIGNY, UN JARDIN
QUI SE NOIE DANS LE FLEUVE

EPENTIGNY, prolongement de Montréal vers l'est, a bien mauvaise presse. Trop souvent comparée à une simple banlieue-dortoir, Repentigny compte pourtant de charmants quartiers qui flirtent souvent avec le Saint-Laurent. Celui où se trouve la résidence des Goyer, par exemple, en raison de l'arrangement des maisons et des jardins, constitue une véritable ligne verte qui descend jusqu'au fleuve. Cette situation unique au bord du fleuve permet aux Goyer de suivre, à l'automne et au printemps, le vol majestueux des outardes.

Les Goyer sont installés là depuis 1973. Le terrain était alors un « champ de vaches », nu et vaste. Il est méconnaissable aujourd'hui. De fait, dès 1980, le terrain commença à « verdir ». Françoise et son mari ont conçu leur aménagement horticole d'abord par défi, avec l'idée qu'en plantant quelque chose, peut-être des oiseaux y viendraient-ils. Les voisins des Goyer s'étant ralliés au mouvement ornithophile, il en est effectivement venu beaucoup!

Inutile de préciser que les alentours de la maison regorgent de fleurs, d'arbustes et d'arbres à fleurs ou à fruits plantés là spécifiquement pour attirer la faune ailée. Tout ce que cultive le couple doit séduire les oiseaux; les premiers arrivés, dès la fin de mars, étant les carouges à épaulettes.

Ainsi, un côté de la maison est bordé d'une haie de cotonéasters, suivie d'un bouquet d'amélanchiers, de deux plants de houx verticulé, l'un mâle et l'autre femelle, placés côte à côte pour produire des fruits, et d'un grand érable à sucre. Un peu plus loin, un grand frêne fait de l'ombrage au sureau rouge, à l'amélanchier annabelle et à la spirée qui croissent sous l'arbre. Cet arrangement est fort bien conçu : lorsque les oiseaux viennent picorer les fruits des arbustes, le grand frêne leur sert d'observatoire ou d'abri s'ils sont dérangés pendant leur repas. On

Quiscale bronzé

trouve aussi, suspendue aux branches du frêne, l'une des deux mangeoires gardées en permanence au jardin.

Une grande haie d'épinettes prend ensuite la relève jusqu'à l'angle du jardin occupé par un bouquet de lilas qui se prolonge par une belle collection de chèvrefeuilles partagée avec le voisin, à l'avant de laquelle trônent deux grands érables argentés, un carré de graminées et le potager. Le bain d'oiseaux miroite devant le bosquet de graminées, à quelques mètres à peine d'un des érables sur lequel est installée la seconde mangeoire.

Chez les oiseaux, le rituel du bain se déroule selon une hiérarchie que le couple Goyer prend plaisir à observer : le quiscale bronzé mâle se baigne avant tous les autres. L'étude du comportement des oiseaux, de leur horloge biologique, entre autres, fait d'ailleurs partie des raisons pour lesquelles ils s'adonnent à l'ornithologie. Puisqu'ils peuvent le faire à domicile, pourquoi se priveraient-ils de ce bonheur?

Carouge à épaulettes

Les Goyer ont d'ailleurs constaté que le bosquet de weigela était très populaire auprès des colibris et que les parulines, qui sont de passage au printemps et à l'automne, fréquentaient beaucoup les conifères. Ils ont aussi noté que les jaseurs d'Amérique se gavaient de chèvrefeuille, que les becs-croisés avaient dépouillé le cerisier des voisins en moins de deux semaines, et que les juncos se régalaient des graines de graminées. Mais la plus grande surprise des Goyer, cette année, c'est la découverte d'un nid de roselins... dissimulé dans la plante suspendue au balcon, une impatiente double, juste devant une fenêtre de la maison! Parmi les petits oiseaux qui se pressent au jardin, on compte des chardonnerets jaunes et des pins, des roselins familiers et pourprés, des mésanges à tête noire et toute la collection de bruants chanteurs, hudsoniens, familiers, fauves, à couronne blanche et à gorge blanche. La volière ne serait pas complète sans la présence des tourterelles et des pics flamboyants qui se nourrissent de fourmis. Une femelle cardinal, sans son mâle, a même fréquenté le jardin des Goyer tout l'été. Au printemps, en plus des juncos, un oriole du Nord s'est arrêté là.

Le succès des Goyer est sans doute lié au fait qu'ils sont parvenus à réunir toutes les conditions pour faire de leur jardin un haut lieu de la gastronomie pour les oiseaux!

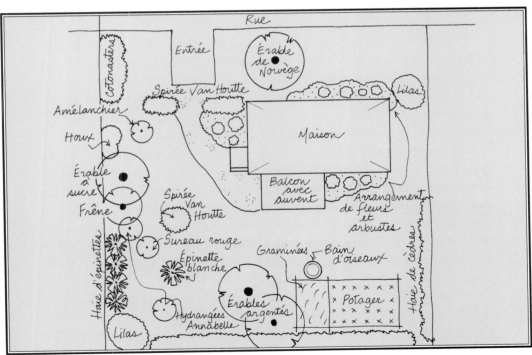

LE LONG DE LA RIVIÈRE DES PRAIRIES, UN ENDROIT PLEIN D'ATTRAITS

CE coin de Repentigny, ville souvent mal jugée par ignorance, longe la rivière des Prairies. De belles percées de verdure et de grands arbres embellissent la route qui mène chez Claude Bruneau.

La famille Bruneau habite cette maison depuis dix-neuf ans. À leur arrivée, en 1976, le terrain n'était qu'une vaste étendue de sable. Claude, jardinier à ses heures, lui a donné une allure de jardin en commençant par planter deux érables, un rouge et un blanc, rapportés du quartier Ahuntsic où la famille résidait auparavant. Voilà qui ajoutait des taches de vert à la cour.

Claude s'est ensuite consacré au jardin. Encore aujourd'hui, il échange des plants avec des membres de sa belle-famille et fait des essais dans son potager où poussent des choses étonnantes, notamment du millet dont les graines étaient destinées aux oiseaux, et des tournesols, ce qui n'a rien d'étonnant en soi sinon que, de ces grandes fleurs, Claude récolte les graines qui garniront les mangeoires!

En outre, devant les rangées de fraisiers, de concombres et de haricots, poussent des framboisiers, des dahlias, ainsi que des cannas et des tournesols. Au pied de ce potager polymorphe croît une variété de pensées singulières à la magnifique corolle noire!

Le centre de la cour est occupé par une piscine à côté de laquelle on trouve un massif de cosmos mêlés à des fleurs de lin aussi appelées quatre-heures. Dans ce bouquet coloré butinait un chardonneret, juste sous nos yeux.

L'observation d'oiseaux chez les Bruneau, c'est aussi une histoire de famille. Celle-là débuta un soir de Noël alors que le fils de Claude venait de recevoir une mangeoire en cadeau! Après la mangeoire vinrent les

Grand pic

graines et… les oiseaux. La grande affiche sur les oiseaux et leurs noms tint longtemps une place de choix chez les Bruneau.

Ils ont rapidement constaté que les deux grands arbres de la cour, souvent visités par les grands pics, autant que les haies de cèdres qui entourent la maison, attiraient beaucoup les oiseaux. Sous ces arbres, ils trouvent d'ailleurs souvent les écales des graines de tournesol que les oiseaux prennent dans les mangeoires, puis vont déguster dans les conifères. En été, on n'installe pas de mangeoires chez les Bruneau; celles-ci ne sont accrochées aux arbres qu'en septembre, au moment où la nature perd peu à peu son potentiel nutritif.

Paruline couronnée

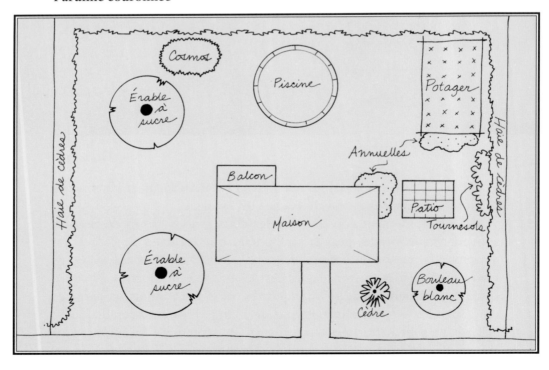

Les Bruneau ont déjà répertorié plusieurs espèces, entre autres les quiscales bronzés et les sizerins flammés au printemps, les tourterelles, les roselins, les cardinaux, les parulines couronnées, les chardonnerets jaunes, les carouges, les sittelles, les geais bleus qui viennent en couples, les bruants et les moineaux. Les geais du Canada, ou geais gris, seraient des habitués chez eux et des grands pics nicheraient tout près de la maison.

Les enfants ont grandi et les adultes ont été conquis par la passion des petits. Aujourd'hui, ce sont eux qui observent et qui notent les espèces qui fréquentent le jardin, en attendant que les préoccupations des adolescents se réorientent vers la nature!

DUVERNAY : UN COIN DE NATURE
À LA PORTE DE LA VILLE

ETTE fois, c'est dans le quartier de Duvernay, à Laval, à deux pas de l'autoroute 19, que nous vous convions. Ici, beaucoup de verdure et de grands arbres embellissent une rue fort paisible en dépit du fait qu'elle soit située presque à la sortie de la bruyante autoroute.

Gilbert Hétu a bien de la chance. En effet, comme plusieurs travailleurs autonomes, Gilbert a son bureau à domicile. Cette situation lui épargne environ deux heures de déplacements par jour, temps qu'il utilise pour jardiner et se faire des amis chez les oiseaux.

Gilbert Hétu est un passionné de l'avifaune. Dans les années 1970, il observait les oiseaux et jardinait en amateur. La découverte d'un petit bouquin américain a changé sa façon de jardiner et, par le fait même, d'observer. L'ouvrage suggérait des façons d'aménager un jardin pour le rendre attrayant aux oiseaux. À partir de là, sa cour arrière et la façade de sa maison se sont transformées en jardin « ornithophile ».

Ce qui étonne, d'entrée de jeu, est l'origine des arbustes plantés par les mains de Gilbert : la plupart des plants d'essence indigène, Gilbert les a trouvés en pleine nature. Des arbres et des arbustes, sur le point d'être emportés avec la terre défrichée en vue de la construction immobilière, ont été récupérés par cet habile horticulteur qui a réussi plusieurs de ses transplantations. S'ajoute au caractère exceptionnel du jardin la floraison par étape des arbustes : afin de pourvoir à l'alimentation des oiseaux en toute saison, Gilbert a compris qu'il fallait choisir des plants qui fleurissent et qui produisent des fruits en différentes périodes de l'année.

Le jardin annonce ses tendances dès le patio, orné de vigne vierge. Cette plante, dont la fructification a lieu en automne, est très appréciée des oiseaux frugivores, comme les moqueurs et les grives fauves, lors de

Grive fauve

leur migration automnale; par ailleurs, les roselins et les cardinaux aiment y nicher. Un autre plant de vigne décore un mur de la maison.

Le patio est bordé par un cornouiller stolonifère, un érable de Norvège et deux amélanchiers. Ces arbustes possèdent des charmes indéniables pour les oiseaux. Le cornouiller, aussi nommé hart rouge, produit des baies blanches deux ou trois fois pendant l'été, les merles s'en gavent donc toute la belle saison. Les jaseurs d'Amérique ne dédaignent pas non plus ces petits fruits.

Gilbert n'utilise pas d'insecticide chimique sur ses arbres, préférant laisser la nature se défendre, comme au pied du cornouiller où des plants de menthe et de ciboulette éloignent les insectes.

Quant à la succession de la floraison des arbustes, importante pour les oiseaux, elle s'échelonne ici sur tout l'été. Les amélanchiers sont les premiers à fleurir au printemps, mais puisque leur fructification a cours durant l'été entier, les roselins, les merles et les jaseurs y feront de fréquents aller et retour. D'autres plants hâtifs comme le cerisier à

Cardinal rouge femelle

grappes et le vinaigrier fournissent de jolies fleurs blanches dès le début de la belle saison. Toutefois, Gilbert se souvient d'une expérience moins heureuse avec le vinaigrier qu'il trouvait envahissant. L'enlever a été pour lui un véritable cauchemar.

Par ailleurs, les autres plantes qui garnissent le jardin de Gilbert jouent leur rôle décoratif et nutritif. Les fruits d'été sont surtout produits par le chèvrefeuille de Tartarie, le groseillier sauvage et le sureau, qui poussent en différents endroits du terrain. C'est pourtant l'automne que les oiseaux en migration s'arrêtent pour cueillir les baies noires du nerprun cathartique, les grappes des alisiers, les baies du gadelier américain et celles de la symphorine qui peuplent son jardin.

Puisque la nature est généreuse en été, Gilbert ne laisse que deux mangeoires dans sa cour, judicieusement installées sous la marquise, et deux bains d'oiseaux faits en ciment. Ces derniers ont une particularité : Gilbert les a lui-même fabriqués, utilisant comme moules des bains de plastique du commerce. Gilbert explique que le ciment conserve sa

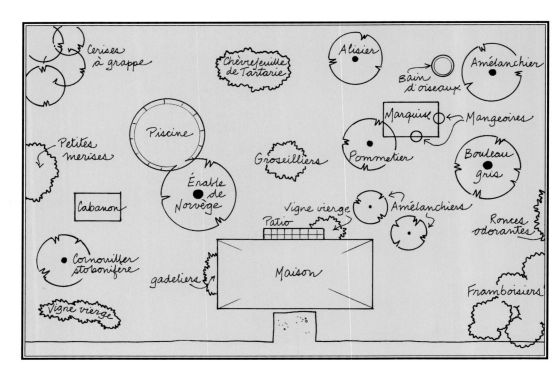

fraîcheur à l'eau, une caractéristique recherchée par les oiseaux. Aussi, afin de rendre ses bassins encore plus attrayants, un arrosoir d'où l'eau s'échappe goutte à goutte, est suspendu au-dessus des baignoires. Cette astuce crée une illusion de mouvement qui séduit les oiseaux.

L'hiver, ces hôtes ne s'alimentent pas seulement aux mangeoires; Gilbert a planté pour eux des arbres qui gardent leurs fruits pendant cette saison. Les rosiers sauvages, aussi nommés églantiers, produisent de petits fruits très nutritifs qui restent attachés aux branches. Gilbert en possède au moins trois espèces qu'il a découvertes en pleine nature. Cependant, en hiver, le pommetier décoratif demeure le meilleur allié du jardinier ornithophile. Gilbert le surnomme le « dépanneur du jardinier », tellement ses pommettes sont prisées par les oiseaux en cette saison. Les grives et les jaseurs boréaux viennent par volées se délecter de ses fruits. Même le cardinal rouge s'y arrête. Cette saison ramène aussi les pics mineurs et les pics chevelus qui se gavent du suif que Gilbert accroche aux arbres.

Le jardin de Gilbert est le fruit de plusieurs années d'observation et de travail. Le résultat est aussi décoratif qu'appétissant pour la faune ailée. À preuve, les visiteurs se succèdent aux arbres dans une valse joyeuse, au rythme des saisons.

DANS LE VIEUX LAVAL
UN JARDIN GORGÉ DE VIE

Dans le quartier le plus ancien de Laval, la maison où Marie-Josée Bonin et son compagnon Christian élèvent leurs deux adolescentes s'insère dans un sympathique croissant, avec une rue à l'avant et... un cimetière à l'arrière. Ce qui fait dire à Marie-Josée, avec une pointe d'humour, pour décrire la tranquillité des lieux, que « c'est mort en arrière! ».

Sans doute. N'empêche!, la vie ne manque pas dans ce jardin. Les deux compagnons observent les oiseaux depuis au moins une quinzaine d'années et ont initié du même coup leurs filles à la nature dès leur plus jeune âge. Marie-Josée avoue pour sa part avoir tiré cet enseignement de sa grand-mère, une brave personne qui répandait du pain sur son balcon pour nourrir les moineaux.

Marie-Josée et Christian ont joint depuis peu un club d'ornithologues amateurs; ce club s'occupe du recensement des oiseaux qui fréquentent le Québec. Pendant les quatre mois d'hiver, ils notent toutes les espèces qui se posent dans leur cour. Ce qui leur a valu, l'an dernier, d'observer le premier pic flamboyant de l'année, au Québec; ce pic s'est montré tellement tôt que le couple a effectué la deuxième observation la plus hâtive d'un tel oiseau au cours des dix dernières années, et ce sans sortir de sa propriété!

Leur coin de verdure, même s'il n'est pas très grand, attire beaucoup d'oiseaux : mésanges, chardonnerets jaunes et chardonnerets des pins, bruants hudsoniens et bruants à couronne blanche, tourterelles (qui s'y sentent tellement bien qu'elles ne bronchent pas, même quand le chien, une bien grosse bête, se trouve dans les parages), cardinaux, geais bleus, cardinal à poitrine rose, roselins familiers et roselins pourprés, pics mineurs et pics flamboyants, colibris, moineaux, quiscales, étourneaux, carouges à épaulettes, hirondelles, jaseurs d'Amérique, merles, orioles

**Gros-bec
errant**

**Moqueur
polyglotte**

du Nord, vachers à tête brune et même un moqueur polyglotte. Oui, oui! tous ces oiseaux, en plus de gros-becs errants, ont été vus à Laval, dans le jardin des Bonin!

Le terrain n'est pas grand, mais l'environnement apporte tout de même son lot d'attraits pour la faune ailée. Ainsi, une succession d'arbres se dressent le long de la clôture et sert également d'écran. Parmi ces arbres, tous en pleine maturité, on relève des bouleaux, des *Prunus sanula*, des cerisiers sauvages et des vinaigriers. Dans le cimetière, deux grandes épinettes dominent. Ce mélange de conifères et d'arbres fruitiers est sans conteste fort séduisant pour les oiseaux, qui trouvent là refuge et nourriture.

Outre cette végétation naturelle, Marie-Josée et Christian achètent régulièrement des plantes et des fleurs pour les oiseaux. C'est le cas du chèvrefeuille, des pétunias dits saints-joseph, pour les colibris, qui en sont amateurs, ainsi que des capucines. Les colibris, visiteurs assidus, nicheraient près du ruisseau qui coule un peu plus loin, à l'arrière de la maison.

L'eau ne manque pas aux alentours! Un de leurs voisins possède un étang; les oiseaux peuvent donc faire la tournée, déjeuner chez l'un et se désaltérer chez l'autre! Quelques oiseaux se baignent aussi au creux de la toile de la piscine, quand elle est déployée et qu'un peu d'eau s'y trouve. Tous les moyens sont bons pour se rafraîchir.

Par ailleurs, un grand espace au fond du jardin est réservé au potager. Cultivés d'une manière biologique, les légumes qui y poussent attirent les insectes et par conséquent les petits oiseaux insectivores. Tout près du potager poussent un bosquet de gadelles rouges et un chèvrefeuille grimpant. Un festin pour oiseaux avec entrée, plat principal et dessert!

De l'autre côté de la maison, un érable, un lilas et un jeune bouleau jaune côtoient les clématites, le jardin de fines herbes et le bosquet de chèvrefeuille grimpant. Même le chat et le chien de la maison ne peuvent repousser les oiseaux attirés par tant de variété! Un épervier de Cooper a même déjà été aperçu là et une crécerelle s'est délectée d'une mésange devant les regards médusés des membres de la petite famille, témoins bien malgré eux du spectacle.

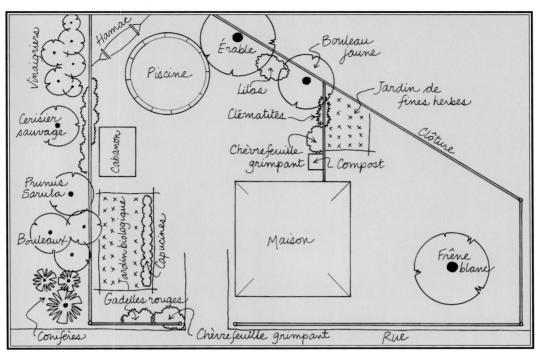

Vinaigriers

Hamac

Piscine

Érable

Bouleau jaune

Cerisier sauvage

Lilas

Jardin de fines herbes

Clématites

Clôture

Cabanon

Chèvrefeuille grimpant

Compost

Prunus Sarula

Jardin biologique

Capucines

Bouleaux

Maison

Frêne blanc

Gadelles rouges

Conifères

Chèvrefeuille grimpant

Rue

Sittelle à poitrine rousse

EN BORDURE DU VIEUX ROSEMÈRE,
UN JARDIN D'OISEAUX TOUT RÉCENT

ITUÉE au nord de Laval, la municipalité de Rosemère présente deux visages : le plus ancien tout vert et tout fleuri et le plus moderne, à fleurir. C'est ici que se dresse la demeure de Monique Robin, au milieu des jolies maisons neuves qui forment le quartier. Tout près, il est presque possible d'entendre la rivière aux Chiens, qui coule à quelques centaines de mètres. L'endroit est truffé de coins de verdure qui ont échappé pour le moment aux promoteurs immobiliers.

En raison de la jeunesse de ce quartier, peu d'arbres adultes bordent la rue, mais les aménagements effectués par les gens du voisinage promettent beaucoup, celui de Monique en particulier. Bien que la façade de la maison ait déjà belle allure, c'est à l'arrière que l'action se déroule.

Le jardin est toutefois encore bien modeste; l'habitation, construite depuis cinq ans, n'est occupée que depuis peu par Monique et sa famille. Sur un côté de la cour, une large section est réservée à la piscine familiale, mais dans un angle, on a songé aux visiteurs ailés. Le bosquet est garni d'un érable, de mangeoires et de quelques arbustes. Il s'y trouvait une aubépine, très attrayante pour les oiseaux, mais qui a dû être retirée parce que trop d'insectes s'y intéressaient aussi. Un bain d'oiseaux et quelques cèdres en bouquets ornent une autre partie du jardin, près de la piscine.

Une bordure de cèdres conduit de l'autre côté de la cour où un févier trône, face à un autre bouquet de fleurs et d'arbustes parmi lesquels fleurissent des azalées et des rhododendrons nains. La balançoire, au centre de la cour, est également bordée de fleurs et de fines herbes. Une haie de thuya occidental sépare la propriété de celle des voisins.

Les premières observations d'oiseaux de Monique Robin coïncident avec ses premières amours, à 18 ans. Depuis, où qu'elle habite, les

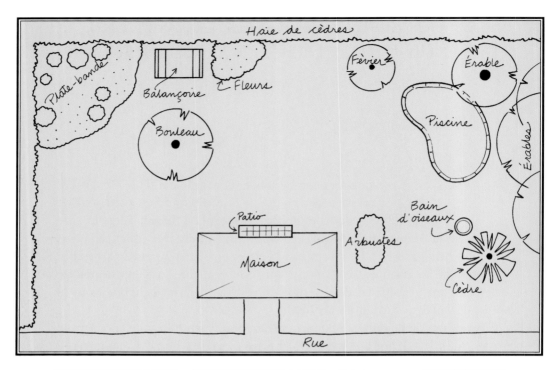

Haie de cèdres

Plate-bande

Balançoire

Fleurs

Fèvier

Érable

Bouleau

Piscine

Érables

Patio

Bain d'oiseaux

Maison

Arbustes

Cèdre

Rue

Mésange à tête noire

oiseaux font partie de son environnement. Habituée à voir une nuée d'oiseaux fréquenter sa cour, Monique est attentive à toutes les activités ornithologiques qui se déroulent dans son jardin. Bien que celui-ci soit tout récent et que peu de voisins semblent se préoccuper de nourrir les oiseaux, Monique reçoit beaucoup de visiteurs ailés : les roselins familiers et pourprés, les chardonnerets jaunes, les jaseurs d'Amérique, les tourterelles tristes, les merles, les carouges, les quiscales et, en saison, son espace est fréquenté par des juncos, des mésanges à tête noire, des chardonnerets des pins et même des sittelles à poitrine rousse, son oiseau préféré.

Les merles ont même poussé la familiarité jusqu'à établir leur nichée sur le lampadaire placé sur le mur de la maison, à côté de la fenêtre de la chambre du fils de Monique tout étonné et ravi de ce voisinage. Une heureuse surprise pour Monique aussi, qui ne croyait pas que son environnement plairait aussi rapidement à ses amis ailés.

À AUTEUIL : UN JARDIN RAFFINÉ

À LAVAL, le quartier Auteuil où réside Raymonde Fournier, est assez récent. Il y a peu de végétation si ce n'est les aménagements souvent impressionnants des banlieusards. Encore à l'abri des promoteurs, de grands champs se devinent derrière la dernière rangée de maisons de ce quartier; aussi entend-on presque couler la rivière des Mille-Îles à quelques centaines de mètres de là.

La passion de Raymonde pour les oiseaux lui est venue de manière imprévue : c'est en cherchant une forme de distraction pour sa maman malade, venue vivre sous son toit, qu'elle a commencé à planter des fleurs et des arbustes. Les oiseaux n'ont pas tardé à fréquenter leur jardin et à leur procurer des joies sans cesse renouvelées.

Cinq ans plus tard, Raymonde organise toujours son jardin de manière à attirer les oiseaux. Bien qu'elle affirme « planter ce qu'elle aime et tant mieux si cela plaît aux oiseaux », Raymonde bénéficie de conseils de connaisseurs qu'elle applique à la lettre. Avec un résultat positif.

Ainsi, dans un angle du jardin, on découvre un bassin : la cascade, invitante sous la canicule, s'écoule doucement dans la mare où même les humains profitent à l'occasion d'un bain rafraîchissant. Autour de l'étang, bordé par une haie de cèdres, s'élèvent de nombreux arbustes, dont un sorbier, un pimbina et un jeune pin noir. L'ensemble forme un coin de nature dense et intéressant pour les oiseaux qui y trouvent à la fois de l'eau et un couvert protecteur, deux éléments fort importants.

À la gauche du patio, qui a vue sur la cour, plusieurs arbustes ont été plantés, comme ce genévrier pleureur à l'ombre duquel s'élance un plant de jostas prêt à éclore.

Paruline à croupion jaune

Au centre, une mini-roseraie s'étale aux pieds d'un sapin bleu et d'un érable rouge, deux très jeunes plants. Voisin du jardin de roses, le quartier d'hiver des oiseaux consiste en un tronc d'arbre mort aux branches garnies de quelques mangeoires. Prévu pour la saison froide, il est cependant fort peuplé en cette journée de juillet, car les oiseaux s'y succèdent sans relâche.

Un autre endroit très fréquenté du jardin est le coin « boîte à fleurs ». Il s'agit plutôt d'une image utilisée par Raymonde pour désigner un carré de bois rempli de terre et planté de jolies fleurs variées. Un petit arbuste pousse également dans cet espace qui n'a de boîte que le nom, puisqu'il se marie magnifiquement au reste du site. Une mangeoire en hauteur surplombe le tout. Des tourterelles, des quiscales et des étourneaux sansonnets s'y succèdent tour à tour, postés sur les fils électriques qui séparent la propriété de Raymonde de celle de ses voisins.

Cardinal rouge mâle

La remise garnie de fleurs les met également en appétit; des bouquets suspendus colorent la blanche maisonnette et plusieurs arbustes s'y découpent en dentelle. À l'arrière, une grande boîte à fleurs déborde de laitues et d'odorantes fines herbes.

Le patio est également orné de fleurs, entre autres des philadelphiums, et d'arbustes comme cette hydrangée, elle aussi au bord de la floraison. Au bas de l'escalier, de grandes dalles de ciment blanc délimitent l'espace réservé à la table à manger qui se trouve en plein cœur de l'action.

Enfin, au fond de la cour, derrière l'étang, se cache un potager où poussent tomates, poivrons et fines herbes. Le potager est prolongé par la haie de cèdres qui ceinture le côté de la maison.

Du patio, l'observation est aisée et fascinante par le nombre et la diversité des visiteurs ailés : des moineaux, bien sûr, mais aussi des tourterelles, des merles, des mésanges, des parulines à croupion jaune,

des carouges à épaulettes, des quiscales, des roselins, des sizerins. Même des geais bleus et des cardinaux rouges fréquentent le jardin fleuri de Raymonde.

Chaque année ramène aussi les hirondelles dont les ébats amoureux sur la corde à linge ont marqué son souvenir. Ce retour annuel fera dire à Raymonde : « Les oiseaux connaissent leur maison et y reviennent. »

La population ailée du jardin étonne aussi quand on pense au jeune âge de l'aménagement, à peine cinq ans, mais quelques mois seulement pour certaines espèces de plantes nouvellement acquises. Comme quoi la valeur n'attend pas le nombre des années, même en horticulture.

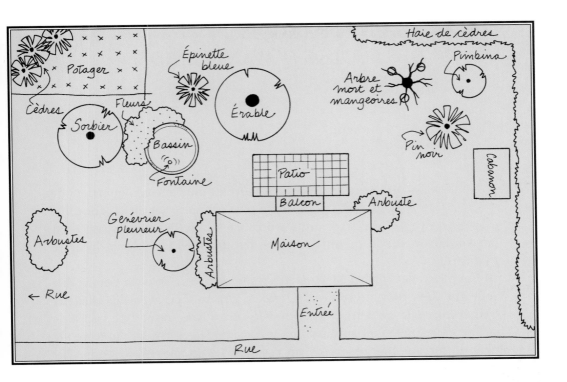

À SAINT-FRANÇOIS :
DES ÉCOLOS D'AVANT-GARDE

AINT-FRANÇOIS est l'un des plus anciens quartiers de Laval, la deuxième plus grande ville du Québec. De beaux grands arbres en façade des résidences, dont la frondaison surplombant les toits des maisons témoigne de cette maturité.

Raymonde et Michel Martineau s'intéressent aux oiseaux depuis dix-sept ans déjà. Pour Raymonde, tout a commencé avec des oiseaux d'intérieur; elle en a toujours possédé. En outre, avant que naisse le jardin tel qu'on le voit aujourd'hui, les Martineau cultivaient la terre : le tiers du terrain était réservé à un potager. Le couple, écologiste avant l'heure, n'arrosait pas ses légumes de pesticides, préférant laisser agir la nature. De ce fait, ils remarquèrent que les oiseaux se gavaient des insectes attirés par le potager. C'était parti!

L'aménagement actuel de leur jardin prouve qu'ils ont, depuis cette époque, beaucoup étudié leurs petits amis ailés, surtout qu'il n'y avait rien sur ce terrain à leur arrivée, il y a près de vingt ans : au-delà de leur clôture boisée s'étendaient encore les champs des agriculteurs. Au cours des années, leur jardin s'est transformé, faisant une place toujours plus grande aux plantes colorées et aux arbustes. De par leur expérience, leurs observations et leurs lectures, ils sont passés maîtres en matière d'aménagement.

Raymonde aime beaucoup les fleurs, si l'on en juge par les nombreuses plates-bandes qui renferment de cinq à six variétés différentes : des hémérocalles, cultivées et sauvages, aux coloris particuliers, des iris, des marguerites, des rudbeckies, des sachas et d'autres encore. La plupart n'ont qu'un rôle décoratif, bien que Raymonde ait noté que ces plantes fascinent les oiseaux : le seringa par exemple, planté au milieu de la cour, à côté du bain d'oiseaux, sert

**Roselin
pourpré**

**Pluvier
kildir**

d'observatoire aux baigneurs qui s'y perchent en attendant leur tour. Un bouquet de plants de lavande pousse à l'ombre du bassin.

Dans les marches d'escalier qui mènent à la maison, les salvias s'étirent en attendant les colibris qui aiment beaucoup, au dire de Raymonde, ces petites fleurs écarlates. Si ce n'était pas suffisant, un abreuvoir rempli d'eau rouge et sucrée attend les petites beautés ailées. Du côté gauche du patio, on trouve un grand sapin, des lilas roses et quelques arbustes, notamment une hydrangée et un genévrier français; à droite s'élève aussi une hydrangée, de la taille d'un arbre celui-là.

L'un des flancs de la résidence des Martineau, dévolu aux hirondelles, offre une généreuse lisière de fleurs colorées. De plus, une couverture de clématites mauves réellement ravissantes tapisse le mur! Au milieu du terrain, une rafraîchissante piscine, à l'usage des propriétaires, est entourée d'arbustes. Le weigela, le spirée Van Houtte, la viorne comestible et le sorbier sont des plantes choisies parce qu'elles sont également très prisées par les oiseaux. Leurs petits fruits constituent un complément aux mangeoires accrochées dans le jardin, à proximité de la maison.

Un peu partout sur la propriété, des érables, des bouleaux et des sapins ont été plantés. Des pommiers décoratifs ornent aussi le jardin. Chacun de ces arbres recèle, selon Michel, son lot de nourriture pour les oiseaux : les bouleaux portent des grappes qui se défont en graines délectables; les sapins et les cèdres produisent des cônes tout aussi attrayants.

L'aménagement de Raymonde et Michel plaît à une vaste collection d'oiseaux. Les roselins familiers et les roselins pourprés, les chardonnerets jaunes, les merles qui picorent après la pluie les lombrics sur la terrasse, les geais bleus, les hirondelles, les sizerins, les vachers, les carouges à épaulettes, les bruants à gorge blanche, les jaseurs d'Amérique et les tourterelles qui nichent dans les sapins, tous sont des habitués. Même les cardinaux participent au pique-nique chez les Martineau.

Par ailleurs, d'autres oiseaux tels le pluvier kildir, la sittelle à poitrine rousse, le pic flamboyant, qui visite régulièrement le festin de suif qui lui est offert en hiver, la pie-grièche et les mésanges envahissent la propriété des Martineau, assurés d'y trouver un garde-manger bien garni!

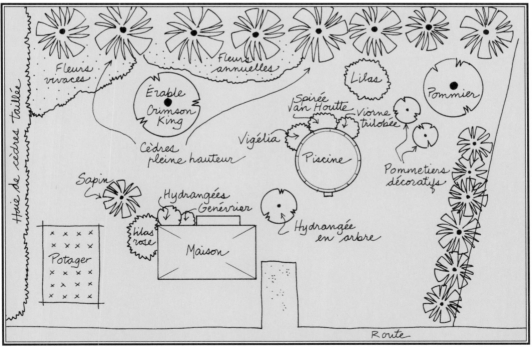

Fleurs vivaces

Fleurs annuelles

Lilas

Érable Crimson King

Pommier

Spirée Van Houtte

Viorne trilobée

Vigélia

Cèdres pleine hauteur

Piscine

Pommetiers décoratifs

Sapin

Hydrangées Genévrier

Hydrangée en arbre

Haie de cèdres taillée

lilas rose

Potager

Maison

Route

SAINT-HILAIRE: UN JARDIN EN PÉRIL

*L*A municipalité de Saint-Hilaire s'étend le long de la rivière Richelieu. Beaucoup de verdure, certes, de l'eau, de grands arbres et souvent, assez étrangement, de grands champs. La demeure de Sonia Dionne et de Marcel Léon se découvre au tournant d'une petite artère coupant la route principale qui longe le Richelieu. Les voisins de gauche sont peu bruyants puisqu'il s'agit d'un parc; à l'arrière, la calme prairie est tout aussi paisible.

Leur maison, le couple Dionne-Léon l'a achetée précisément dans le but de faire de l'observation ornithologique. Depuis deux ans qu'ils l'occupent, Sonia et Marcel ont déjà vécu des expériences particulières avec la faune ailée : trop de mangeoires attiraient des oiseaux qu'ils ne désiraient pas voir en aussi grand nombre chez eux, en l'occurrence des moineaux; ils ont également supprimé les tournesols, trop séduisants pour les gros oiseaux. Évidemment, on ne choisit pas toujours ce que l'on attire chez soi.

Pourtant le jardin de Sonia est si bien pourvu en attributs végétaux qu'il séduit, outre les roselins et les chardonnerets jaunes, toute une gamme d'espèces, notamment des mésanges, des moucherolles à ventre roux, la grive des bois, des bruants des prés et des bruants familiers, des merles d'Amérique, des geais bleus, qui sont les bienvenus. Sonia a déjà aperçu un tyran tritri, une sturnelle des prés, un moqueur chat et même un oriole du nord.

Deux magnifiques haies de chèvrefeuilles bordent un côté et l'arrière du jardin; leurs petits fruits font la joie des cardinaux; d'ailleurs un couple de ces oiseaux niche à proximité. Les parulines jaunes se cachent aussi dans le pin et les arbustes. Les arbres : deux pommiers, un tilleul, une épinette et un bouleau, jouent également un rôle attractif pour la

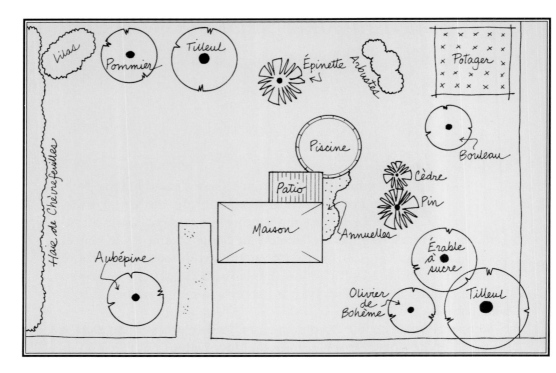

faune ailée. Aussi, dès qu'ils sont en fleurs, les pommiers sont assaillis par les colibris. Les arbustes plantés au fond de la cour sont également très fréquentés par les oiseaux.

Les abords du balcon sont ornés de cèdres, de boîtes à fleurs généreusement garnies et d'un pin qui sert d'abri aux jaseurs d'Amérique. La façade de la maison, qui se pare d'une aubépine, d'un olivier de Bohême couvert de petits fruits à l'automne, d'un érable et d'un tilleul, offre aussi beaucoup aux oiseaux, en particulier au couple de cardinaux : le mâle occupe l'olivier, et la femelle, l'érable.

La sérénité de l'endroit est pourtant menacée : on envisage la mise en chantier d'un nouveau quartier résidentiel à l'emplacement du champ. Tout un bouleversement pour des amateurs de nature qui souhaitaient ne partager leur environnement qu'avec les oiseaux! Ces choses-là arrivent! Espérons que le voisinage ailé des Dionne-Léon n'en sera pas trop perturbé!

Sturnelle des prés

Moqueur chat

AU CŒUR DE LANAUDIÈRE,
DES OISEAUX À CŒUR DE JOUR

C'EST à Lanaudière que nous convient Lise Lefebvre et son ami Alain. Cette région voisine des Laurentides repose sur les basses terres du Saint-Laurent, les plus fertiles du Québec. La magnifique résidence en pierre des champs de Lise Lefebvre a été construite entre 1795 et 1805, au dire de l'historien du village de Saint-Esprit-de-Montcalm.

Pour accéder à la maison, il faut franchir quelques kilomètres en voiture sur la petite route de campagne et demeurer attentif, car la demeure se dresse au bout d'une allée bordée de fraisiers sauvages et d'un champ de trèfle. La maison est entourée de verdure mi-sauvage, mi-plantée par la maîtresse de maison, et la rivière du Rang nord la ceinture.

C'est d'ailleurs là, en bordure du cours d'eau, que s'attroupent les oiseaux. Le site est exceptionnel. Très vaste, le terrain descend doucement vers la rivière, d'un côté, et plonge en pleine forêt de l'autre. Des arbres adultes, des saules surtout, festonnent la vue de la rivière et attirent le moucherolle phébi et le pic maculé, tandis que des érables à Giguère et des ormes d'Amérique garnissent la forêt. Puisque beaucoup de place est faite aux feuillus, Lise ajoute chaque année des conifères à la pente. Ils serviront plus tard d'abri à ses amis ailés.

Les chardonnerets, les sittelles et les mésanges s'amusent dans les saules, tandis que les merles, les étourneaux, les vachers, les quiscales, les carouges et les tourterelles se gavent des graines que Lise jette au sol. L'été, elle laisse des mangeoires aux branches des grands arbres afin de pouvoir observer les oiseaux de plus près. Ces derniers, même s'ils sont comblés par Dame Nature, viennent tout de même s'attabler aux mangeoires. Par les grandes fenêtres de la maison, Lise et son ami Alain peuvent donc se repaître à loisir du spectacle « images et sons »!

Moucherolle phébi

Pic maculé

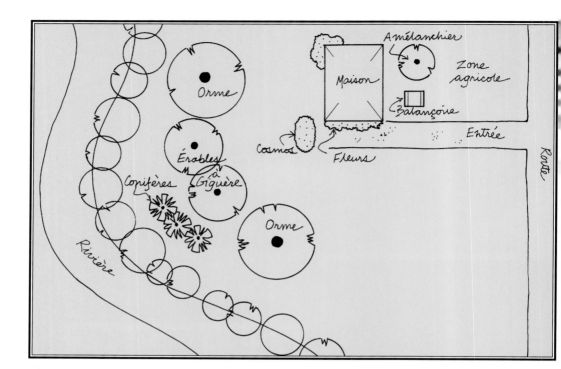

La proximité de la rivière, un frais ruban d'eau douce, entraîne aussi son lot de surprises. Il n'est pas rare que Lise et Alain captent le vol d'un grand héron; la maison étant presque encerclée par la rivière, ils peuvent en suivre la progression sur près de 180 degrés de circonférence. Spectaculaire, paraît-il... on n'en doute pas!

Les habitants de la maison se disent surpris de la fréquence d'apparition des oiseaux chez eux : à n'importe quelle heure de la journée, du lever au coucher du soleil, ils sont là. Il est encore plus étonnant de voir qu'ils font bon ménage entre eux : les gros oiseaux, au sol, ne semblent pas du tout incommoder les petits qui grignotent en hauteur. Quelques aimables intrus s'invitent fréquemment à la table des plus gros, en l'occurrence un petit écureuil roux, un grand écureuil noir et un mignon tamia rayé. Tout ce beau monde cohabite sans encombre. Même les humains vaquent à leurs occupations sans déranger pour autant ce petit univers.

Caché de l'autre côté de la rivière, sa propriété étant masquée par les arbres, le voisin de madame Lefebvre s'occupe lui aussi des oiseaux. Ce

qui fait dire à Lise qu'ensemble ils ont créé un couloir de circulation de la faune ailée et que leurs propriétés sont visitées en alternance. C'est lors de rencontres au village qu'ils échangent leurs réflexions sur les petites merveilles qui enchantent leur environnement!

Bien que la nature ait généreusement pourvu les environs et que de nombreux oiseaux viennent naturellement s'ébattre à l'arrière de la maison, l'avant de celle-ci demeure étonnamment désert, malgré l'abondance de fraisiers, de cerisiers et de framboisiers sauvages qui jouxtent l'allée donnant accès à la demeure. Afin d'y attirer les oiseaux et de profiter du spectacle tout en sirotant un café sur la balançoire, Lise et Alain aménagent cet espace avec beaucoup de sollicitude.

C'est principalement en plantant des amélanchiers, des fleurs et des pommetiers qu'ils espèrent séduire et attirer leurs amis. En attendant, les petits déjeuners, pris sur la terrasse arrière, sont toujours enjoués, remplis de chants d'oiseaux et de glouglous de rivière!

Petit-duc maculé

VAUDREUIL : UN JARDIN
PERDU DANS UN BOISÉ

RÈS de Vaudreuil et du grand lac des Deux-Montagnes se cache un coquet petit village, Les Cèdres, que ceinture le plan d'eau. Cette région recèle une très vaste concentration de lacs, de rivières et de plages, de pistes cyclables et de sentiers de randonnée, autant d'endroits privilégiés pour la pratique de loisirs en plein air.

Doris et Claude l'ont compris. Leur maison, qui se dresse en retrait de la petite route de campagne menant au village, est protégée par un écran formé d'une belle grande haie de cèdres. Doris croit que beaucoup de petits oiseaux s'y abritent, y nichent et y trouvent les insectes dont ils se gavent. Elle a noté la même chose dans la haie qui sépare, à l'arrière, leur terrain de celui de la voisine. C'est d'ailleurs là, derrière la maison, que s'effectue l'observation d'oiseaux chez les Julien-Desloges.

Doris fut initiée à l'ornithologie dès son plus jeune âge, sur les berges d'un lac, en Abitibi, où ses parents passaient tous leurs étés. Le ballet du grand héron, au-dessus de sa tête, et le calme des huards qui se baladaient sur le lac, en face du chalet, l'ont toujours fascinée. Sa passion lui fut en partie transmise par son père, amant de la nature et avide de connaissances sur les animaux et les oiseaux, qui possédait une vaste collection de bouquins ainsi que des enregistrements de chants d'oiseaux et… de cris d'orignaux!

Après quelques séjours en ville, dans des buildings qui sollicitaient rarement leurs sens ornithophiles, Doris et Claude achètent leur maison, aux Cèdres, en 1991. À cette époque, seuls les grands arbres habillent la cour. Le site est toutefois déjà propice à la fréquentation de la faune ailée; Doris et Claude le constatent rapidement et installent des

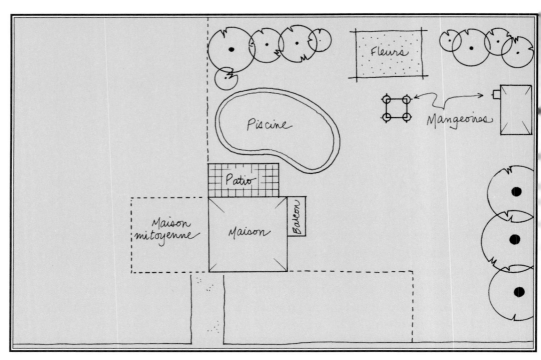

Fleurs

Piscine

Mangeoires

Patio

Maison mitoyenne

Maison

Balcon

Passerin indigo

mangeoires et un bain d'oiseaux. Plus tard, des fleurs s'ajoutent à l'aménagement.

La plate-bande fleurie, c'est le coin de Doris. Elle y a planté des hémérocalles, des pensées, des astilbes, des bégonias et des dahlias, qui forment un ensemble coloré agréable à l'œil. Aux mangeoires sont aussi suspendus des bouquets de géraniums roses et rouges, à l'intention des colibris qui les apprécient, souligne-t-elle.

Le terrain est entouré d'un boisé de frênes, d'érables, de chênes et de pins. La forêt cède le terrain, à quelques dizaines de mètres de la maison, à de grands champs agricoles. Cependant, les propriétaires n'ont pas à s'éloigner pour voir les oiseaux : le patio leur sert de base

d'observation. Les arbres voisinent cet espace de si près qu'il est presque possible de toucher les oiseaux qui s'y perchent. Des merles sans vergogne nichent même à quelques mètres du patio.

Le patio est aussi l'endroit de prédilection de Doris pour converser avec les oiseaux. Quand elle siffle, les piouis de l'Est lui répondent; au printemps, ce sont les orioles du Nord, de passage, qui reconnaissent sa voix. Ces derniers la cherchent même sur le terrain quand elle les appelle! Au printemps, la piscine, blottie entre le patio et la forêt, est le théâtre des acrobaties de moucherolles phébi qui nichent dans le coin; ces derniers raffolent des bains d'eau fraîche : ils vont même jusqu'à plonger dans la flotte à peine dégelée! D'autres oiseaux viennent aussi barboter dans les flaques d'eau accumulées à la surface de la toile posée sur la piscine!

Sur l'un des flancs de la résidence, derrière la petite remise bâtie par Claude, de grands pins abritent des nids de tourterelles mais ils servent

parfois de refuge à un petit-duc maculé. C'est au bord de cette maisonnette que se trouve la deuxième mangeoire, fort achalandée. Dans leur jardin, Doris et Claude ont observé des chardonnerets et des roselins pourprés, mais aussi des cardinaux à poitrine rose, des grosbecs errants, des bruants à couronne blanche, des tyrans de l'Ouest, des sizerins flammés, des mésanges à tête noire, des vachers, des étourneaux, des sittelles à poitrine blanche, des juncos, des quiscales, des carouges à épaulettes, quantité de pics mineurs, chevelus et flamboyants et même un passerin indigo. Ils ont aussi noté de plus en plus de geais bleus aux alentours.

Cet hiver, Claude et Doris s'emploieront à fabriquer des cabanes et, au printemps, s'en iront quérir les arbres fruitiers et les fleurs propres à attirer encore plus d'oiseaux… Passion, quand tu nous tiens!

AUX PORTES DE TROIS-RIVIÈRES, AU DÉTOUR D'UN COURS D'EAU…

POINTE-DU-LAC, magnifiquement située à la pointe nord-est du lac Saint-Pierre, compte quelques milliers d'habitants. Juste en arrivant à Trois-Rivières, sur un panneau de l'autoroute 40, on remarque le joli nom de cette localité. La municipalité fait partie de celles dont on voit le nom affiché au bord de la route et dont on se dit : « Un jour, j'irai voir… », et puis on passe, puisqu'on va ailleurs, et on n'y revient jamais.

La propriété de Denis Lesmerises et d'Anne-Marie Lefebvre est sise au bout d'une petite rue qui se termine en cul-de-sac. Un précipice, une pente d'environ 8 mètres au pied de laquelle coule une petite rivière, en est l'explication. Le cours d'eau contourne la maison sur deux côtés d'où l'on peut apercevoir le vol du martin-pêcheur, qui vient régulièrement faire son tour de reconnaissance au-dessus d'un coin de la pente que le couple a baptisé « la coulée » parce qu'à cet endroit le terrain « coule » vers le ruisseau.

Cet espace était couvert de champs de fraises sauvages du temps où Denis était encore un gamin. Aujourd'hui, si l'on n'y trouve plus trace de ces petits fruits, Dame Nature doit être fière de ce qu'en ont fait Denis et Anne-Marie, en dix-huit ans.

Le jardin créé par le couple marie les genres et les espèces. Amateurs d'arbres, le duo? Sans nul doute, puisque deux haies d'épinettes blanches dessinent les limites de la propriété sur un côté et sur le devant, là où elle se double d'un rang de cèdres, interrompu sur quelques mètres par l'entrée de garage, et se poursuit sur l'autre côté de la résidence.

Derrière la maison, la falaise est bordée d'érables, de fleurs de toute sorte et de lilas. En contrebas, l'ourlet du ruisseau est formé d'une plantation d'une cinquantaine d'érables à sucre; là poussent également,

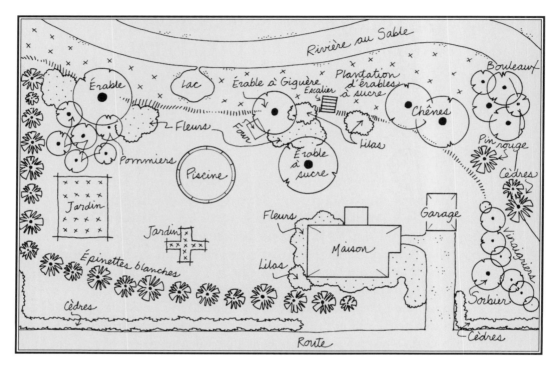

Rivière au Sable

Érable · Lac · Érable à Giguère · Plantation d'érables à sucre · Bouleaux

Escalier · Chênes

Fleurs · Four · Lilas · Pin rouge

Pommiers · Érable à sucre · Cèdres

Piscine

Jardin · Vinaigriers

Jardin · Fleurs · Garage

Épinettes blanches · Lilas · Maison · Sorbier

Cèdres · Cèdres

Route

éparpillés, des chênes, des bouleaux, des pins rouges, jusqu'à rejoindre la « coulée » où des cèdres ont récemment été plantés par Anne-Marie et Denis. Un petit lac s'est formé dans cette trouée et les oiseaux viennent s'y ébattre en toute saison, mais les plus fidèles demeurent les tourterelles qui s'y baignent même l'hiver et qui vont ensuite se faire sécher dans une des épinettes qui croissent sur la pente, au grand soleil.

Les tourterelles – fait à souligner – aiment se prélasser dans les épinettes; Denis et Anne-Marie en ont déjà compté jusqu'à 53, oui!, 53 tourterelles réunies au cœur de ces grands arbres.

La partie supérieure de la colline, qui surplombe la coulée, se pare d'une belle rangée de vinaigriers. Le couple a par ailleurs planté, au milieu des vinaigriers, un magnifique sorbier des oiseleurs. Le choix de

Troglodyte des forêts

cet arbre est le fruit de leur expérience : une année, ils avaient entrepris d'attirer les oiseaux en suspendant des branches de cormier, épanouies à souhait, à celles d'une des épinettes, à l'avant de la maison, ainsi qu'à l'une des mangeoires! La belle affaire! Certes, les oiseaux sont venus par dizaines, mais il fallait voir l'épinette! Cette décoration a même réussi à séduire une gélinotte, photos à l'appui!

Leurs observations ont permis à nos amis d'identifier près d'une cinquantaine d'espèces d'oiseaux dans leur cour. En raison de la proximité du lac Saint-Pierre, ils peuvent, en saison, guetter le passage des bernaches et des oies des neiges. À l'occasion, ils surprennent aussi le vol des canards malards, des goélands et des pluviers kildir, mais le spectacle le plus spectaculaire de tous demeure celui du grand héron qui s'est posé une fois sur le garage.

Nantis d'un guide ornithologique et d'une bonne paire de jumelles, deux articles qui sont entrés dans leur vie, il y a de cela cinq ou six ans, et ont donné une nouvelle tournure et un nouvel élan à leurs observations, Anne-Marie et Denis ont aussi remarqué la présence, dans

Moucherolle tchébec

leur jardin, de colibris, de pics flamboyants, de pics chevelus, de tyrans tritris, de tyrans huppés, de piouis de l'Est, de moucherolles tchébec, d'hirondelles pourprées et d'hirondelles bicolores, de geais bleus, de mésanges à tête noire, de sittelles à poitrine blanche, de parulines rayées et de parulines à croupion jaune, d'orioles du Nord, de juncos ardoisés, de cardinaux rouges, de cardinaux à poitrine rose, de roselins familiers et pourprés, de sizerins flammés, de gros-becs errants, de chardonnerets jaunes, de chardonnerets des pins et enfin de bruants familiers, à couronne blanche et hudsoniens.

La liste n'est pas exhaustive puisqu'elle comporte souvent des oiseaux qu'ils ne sont pas certains d'avoir bien identifiés... comme ce troglodyte, à propos duquel ils ne savent encore s'il s'agit d'un troglodyte familier ou d'un troglodyte des forêts. Mais, plus attentifs que jamais aux caractéristiques et aux chants des oiseaux, nul doute que l'énigme ne restera pas longtemps sans solution!

À SAINTE-ANNE-DES-PLAINES,
UN COIN OÙ LES ANIMAUX SONT ROIS

Au bout d'un chemin de campagne, qui se déroule en un long ruban d'asphalte, surgit Sainte-Anne-des-Plaines. L'endroit porte bien son nom. Pourtant, chaque virage de cette région de plaines nous fait découvrir de fort beaux paysages.

La jolie maison de Céline Desormeaux se dresse en bordure de la route 335. Avant même de pénétrer dans le jardin, on devine l'amour de la propriétaire pour les fleurs. Des jardinières bordent la clôture de bois et des arbustes sont plantés en façade de la maison.

L'arrière est saisissant! Des fleurs, des fleurs et encore des fleurs, en un arrangement raffiné, pendent le long du patio, encerclent le potager et forment deux haies colorées sur le terrain. Beaucoup de pétunias de la nouvelle variété « surfinia » qui prolifère et retombe en jolies cascades fournies, ornent le patio d'où l'on a une vue magnifique sur le jardin.

Bien que le couple installé là depuis près de dix ans – la maison étant l'œuvre d'André, le conjoint de Céline –, et même si cette dernière aime beaucoup les animaux et la nature, l'observation des oiseaux ne fait partie de leur vie que depuis trois ans, au moment où Céline a reçu une mangeoire en cadeau de Noël. Les trois chiens et les deux chats qui vagabondent sur le terrain témoignent d'ailleurs de l'amour de Céline pour les animaux. Elle nourrissait déjà des mésanges lorsqu'ils habitaient autrefois à Saint-Hippolyte.

Les mangeoires sont installées à côté du patio, à proximité d'un bouleau verruqueux très populaire auprès de la gent ailée. C'est qu'il est judicieusement placé, cet arbre : les colibris à gorge rubis s'y perchent, observant les alentours avant de s'élancer vers l'abreuvoir d'eau sucrée qui leur est réservé. Les chardonnerets et les roselins s'en servent également comme refuge.

Bruant des prés

Colibri à gorge rubis

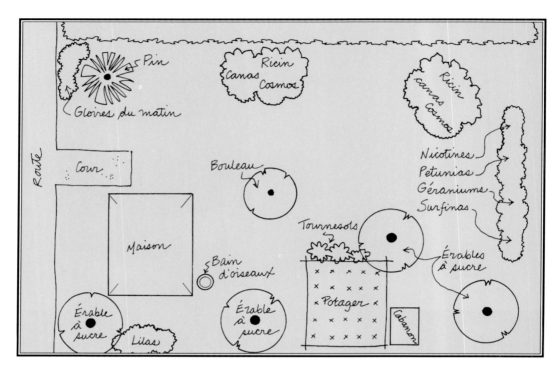

Pin

Gloires du matin

Ricin
Canas
Cosmos

Ricin
Canas
Cosmos

Nicotines
Pétunias
Géraniums
Surfinas

Route

Cour

Bouleau

Maison

Bain
d'oiseaux

Tournesols

Potager

Cabanon

Érables
à sucre

Érable
à
sucre

Lilas

Érable
à
sucre

Céline a observé qu'en plus de fréquenter l'abreuvoir qui leur est destiné, les colibris « se paient la traite » dans les gloires-du-matin qui parent la pergola et forment un toit de verdure au-dessus du patio, ainsi que dans les quatre-heures qui bordent le potager. Le bain d'oiseaux, proche des mangeoires et du patio, est également fréquenté. Il est tout de même étrange que les oiseaux y boivent, mais ne s'y baignent pas.

Le jardin comporte un généreux potager entouré de fleurs : cosmos, tournesol, nicotine et quatre-heures. L'attrait qu'exerce la nicotine sur les colibris, Céline l'avait noté il y a quelques années. Elle n'avait pas installé de mangeoire à l'époque, mais avait remarqué qu'un grand nombre de colibris venaient butiner ses fleurs. Les colibris sont vraiment choyés ici, puisque Céline a également planté à leur intention de la sauge et des monardes.

En plus des fleurs qui occupent une bonne place sur le terrain, certains arbres, encore jeunes, occupent toutefois de plus en plus d'espace. Tout n'était que champs avant l'arrivée du couple, ce qui explique la jeunesse des arbres. Une belle rangée d'érables pousse aux confins du terrain, domaine du bruant des prés, ce qui n'empêche pas les habitants de la maison de surveiller leur chèvre et les chevaux des voisins, en l'occurrence des parents d'André.

Puisque les arbres de son terrain ne sont pas encore assez grands pour abriter les nids des oiseaux, Céline pense que ces derniers fréquentent ses mangeoires et butinent ses fleurs, puis vont nicher dans les grands arbres très touffus des voisins.

Céline et André présument qu'environ dix-huit espèces d'oiseaux fréquentent leur jardin, parmi lesquelles les chardonnerets, qui aiment beaucoup les cosmos, les roselins, les sizerins, les tourterelles, les mésanges et, depuis peu, les geais bleus. Les gens des alentours sont également attirés par l'avifaune, si bien que lorsqu'un cardinal se montre dans le coin, ce qui est un événement en soi, le journal local le souligne comme s'il s'agissait d'un prélat, et mentionne l'adresse de la propriété où il a été aperçu!

Les projets d'aménagement de Céline incluent plus que jamais des décisions relatives aux oiseaux; dès l'an prochain, elle prévoit installer des cabanes pour les hirondelles et planter des arbres fruitiers.

Paruline à tête cendrée

Cardinal à poitrine rose

À LA PORTE DES LAURENTIDES,
UN COIN DE VERDURE ET DE CALME

AINT-HIPPOLYTE, porte d'entrée des Hautes-Laurentides, a un profil en dents de scie, donc un relief très accentué. Les chemins étroits et tortueux ainsi que les virages en épingle n'effraient pas les vacanciers qui y ont établi leur résidence secondaire.

Michelle et Pierre Brault, citadins durant la semaine, se retrouvent pendant le week-end entourés de verdure, de calme et... d'oiseaux. Leur chalet n'est d'ailleurs pas des plus faciles à repérer sur cette route de campagne assurément pleine de charmes.

L'habitation située en terrain incliné est entièrement encerclée de haies de cèdres. Ça frémit, ça bouge et ça pépie dans les branches de ces conifères-là! Les berges du lac des Quatorze-Îles sont toutes proches et la forêt, omniprésente.

Les Brault n'observent pas les oiseaux en ville. Perchés au troisième étage de leur appartement dans le quartier Hochelaga-Maisonneuve (où ils ont élevé leurs deux filles), les Brault profitent à plein de la campagne pour rassasier leur faim de nature et d'oiseaux. Leur passion, qui date d'environ cinq ans, leur vient d'une amie, ornithologue de balcon, à Montréal.

À la campagne, pour bien apercevoir le ballet des oiseaux, Pierre a installé des mangeoires en face de la fenêtre de la salle à manger. Le couple peut ainsi guetter le manège des geais bleus, en très grand nombre ici, et des mésanges. Pierre et Michelle ont noté que les mésanges se succèdent à la mangeoire suivant une hiérarchie connue d'elles seules (évidemment!) mais qui semble très protocolaire; ils ont aussi noté que les geais bleus ne toléraient personne autour d'eux quand ils étaient dans les parages. Les mésanges attendent leur tour dans les cèdres où elles retournent pour y broyer leurs graines de tournesol.

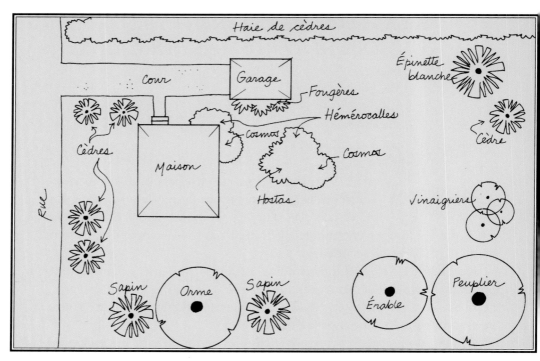

Haie de cèdres

Épinette blanche

Cour

Garage

Fougères

Hémérocalles

Cosmos

Cèdres

Cosmos

Cèdre

Maison

Rue

Hostas

Vinaigriers

Sapin

Orme

Sapin

Érable

Peuplier

Si l'environnement dans lequel se situe la maison d'été des Brault regorge de conifères, cèdres, sapins et épinettes, et de feuillus, érables et ormes, Michelle s'est tout de même constitué une rocaille fort attrayante : les rudbeckies côtoient les pivoines, la lavande, les lupins, les iris, les lys tigrés et les rosiers sauvages (églantiers). Le côté de la remise n'est pas en reste puisqu'il y pousse allègrement des cosmos, des hémérocalles et des fines herbes. À l'arrière, une grappe de cosmos, d'hostas et d'hémérocalles jette une tache colorée sur le vert du gazon.

Depuis qu'ils ont acheté leur premier guide, les Brault ont identifié plusieurs espèces dans leur cour. Leurs yeux ébahis ont reconnu des sittelles à poitrine rousse et à poitrine blanche, des gros-becs errants, des cardinaux à poitrine rose, des bruants à couronne blanche, des bruants à gorge blanche, des chardonnerets des pins et des chardonnerets jaunes, des pics chevelus, des pics mineurs et même un grand pic, des roselins familiers ou pourprés, des sizerins flammés, des parulines à tête cendrée, des tourterelles tristes, des vachers à tête brune, des étourneaux sansonnets, des quiscales bronzés, des merles d'Amérique et des juncos ardoisés. Vingt espèces dans ce petit lot de verdure... c'est quelque chose! Même nos deux sympathiques vacanciers ouvrent de grands yeux en dressant leur liste qui n'est sans doute pas exhaustive... car, c'est à force de regarder que l'on voit!

Crécerelle d'Amérique

À CHÂTEAUGUAY, LES OISEAUX,
C'EST UNE AFFAIRE DE FAMILLE!

D ANS Châteauguay, en Montérégie, région fertile et riche en culture, s'étend la propriété des Poirier, père et fils. Les alentours sont plats, parsemés seulement de forêts de pins et d'arbres fruitiers. La route est bordée de résidences et de fermes. Le tout forme un tableau bucolique.

La terre d'Arthur Poirier abrite la quatrième génération du nom, et la maison deux fois centenaire accueille maintenant la famille de son fils Florent. Il y a vingt ans, aucun arbre ne s'élevait sur cette terre sinon des arbres fruitiers. Devenus trop vieux pour produire encore, Arthur les a remplacés par des pins qui ont grandi et qui tapissent tout l'arrière de la maison.

Cet ancien commerçant, à présent heureux rentier, s'occupe beaucoup de la faune ailée. « Patenteux » comme tout bon Québécois, il s'est même voué à la construction de bains d'oiseaux et de mangeoires… mais cela est une autre histoire.

Les premiers oiseaux observés à cet endroit ont été, assez curieusement, une famille de crécerelles qui s'était établie dans la grange. Ces oiseaux y faisaient leur nid chaque printemps depuis près d'une quinzaine d'années. Arthur, qui avait remarqué leur manège, a souvent « aidé » les crécerelles en leur facilitant l'accès à la grange.

Toutefois, les Poirier ne se sont intéressés à l'observation de la faune ailée, avec mangeoires, bouquins et tout, que depuis cinq ou six ans, entraînés par la vogue croissante de l'ornithologie.

C'est un collègue et ami de Florent qui les a initiés à cette forme de loisir. Aujourd'hui, tout le monde s'y adonne! Et on ne se limite pas aux mangeoires pour attirer les oiseaux. Ainsi Lyne, conjointe de Florent et « spécialiste » en fleurs, conseille les hommes sur les variétés à planter pour attirer les oiseaux, les oiseaux-mouches surtout, les préférés de son

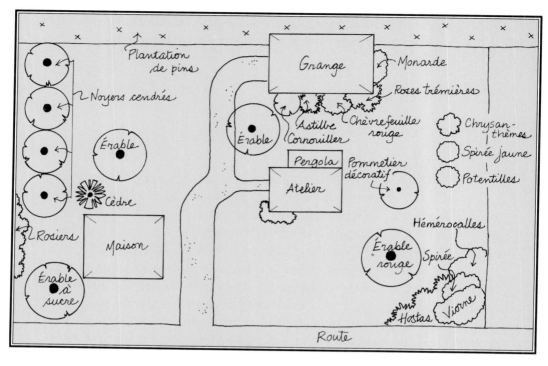

Plantation de pins

Noyers cendrés

Érable

Cèdre

Rosiers

Maison

Érable à sucre

Grange

Monarde

Roses trémières

Astilbe
Cornouiller

Chèvrefeuille rouge

Érable

Pergola

Pommetier décoratif

Atelier

Chrysan-thèmes

Spirée jaune

Potentilles

Hémérocalles

Érable rouge

Spirée

Hostas

Viorne

Route

mari. Résultat : la maison, la grange, l'atelier, chaque bâtiment est vert et fleuri!

Au premier coup d'œil vers la grange, on décèle une bordure intéressante : des arbustes et des fleurs, notamment des marguerites, des rudbeckies, des potentilles, des spirées, une magnifique hydrangée et des monardes qui s'épanouissent au grand soleil. Un pommetier décoratif s'étale devant cette plate-bande colorée. Une haie de cèdres, où nichent des parulines à collier, sépare le terrain des Poirier de leur voisin immédiat, mais une brèche laisse entrevoir un jardin joliment fleuri.

Entre ce bâtiment et celui qui sert d'atelier à Florent, une pergola, où la famille se prélasse en été, est embellie par une vigne vierge et des plantes suspendues, entre autres des fuchsias, très populaires auprès des colibris. Devant la haie de cèdres on découvre quelques arbres fruitiers et des érables.

Plus loin, en s'avançant face aux maisonnettes, un grand bouquet composé de lys tigrés, d'hostas, de spirées, d'hémérocalles et de viorne

trilobée séduit la vue, protégé des regards indiscrets par une autre belle haie de cèdres.

La demeure principale n'est pas en reste : le décor comporte, à quelques variantes près, les mêmes espèces de fleurs et d'arbustes plantées généreusement autour de l'habitation. Des églantiers et des noyers cendrés forment une haie naturelle, traçant une ligne entre la maison des Poirier et celle de l'autre voisin, en l'occurrence un membre de la famille.

Les mangeoires sont situées aux confins du terrain, devant la forêt de pins, en face de la grange. Le bain d'oiseaux, une création en matériaux recyclés et œuvre d'Arthur, est situé tout juste en dessous. Auparavant plus éloignées de la résidence, les mangeoires sont désormais bien en vue. Un cardinal et sa femelle y viennent régulièrement. Les Poirier ont patienté pendant quatre années avant de réussir à les faire venir aux mangeoires. Ces oiseaux nichent probablement dans la forêt de pins, car les Poirier les entendent souvent chanter au cœur de ces arbres.

La proximité de ces conifères entraîne également la visite d'oiseaux assez inhabituels, telles les gélinottes huppées. Des orioles se manifestent aussi dans les alentours, et un fait bizarre s'est produit : les jaseurs d'Amérique n'ont pas supporté, semble-t-il, qu'on coupe quelques cèdres sur le terrain. Ils ne sont plus revenus, malgré les deux haies composées de ces mêmes arbres.

Les Poirier reçoivent aussi la visite des chardonnerets des pins, des chardonnerets jaunes, des roselins familiers, des bruants à gorge blanche, des mésanges à tête noire et des hirondelles bicolores. Chaque matin, un pic flamboyant est le premier à les saluer. Chaque matin, le terrain sous le lampadaire est entièrement débarrassé des insectes qui s'y sont brûlés la veille, tâche que se réservent des quiscales qui trouvent ainsi leur place chez les Poirier.

Les grands champs cachés par la forêt de pins contiennent des étendues d'eau assez importantes; ces lacs sont le domaine de colverts et de hérons qui souvent s'égarent chez les Poirier. Étourderie cent fois pardonnée, évidemment! Quel spectacle ils offrent, ces oiseaux!

Paruline à collier

Pic chevelu

À LANAUDIÈRE, UN JARDIN QUI RESPIRE LA BONTÉ ET LA SÉRÉNITÉ

À Sainte-Angèle-de-Prémont – il faut être attentif pour ne pas rater l'embranchement qui y mène –, la maison de Florent et de Thérèse Bellemare se dresse, fière, parmi les fleurs et les plantes. Madame Bellemare m'avait prévenu : « Ici, vous verrez, c'est un petit Jardin botanique. » En effet, ce jardin est un univers de verdure.

Nous sommes dans la région de Lanaudière. Au risque de me répéter, je souligne que ce territoire est réellement mal connu. Situé à une heure à peine de Montréal, ce coin de pays surprend par la richesse de ses paysages de vallées, de collines, de lacs et de rivières, et où de petits chemins en lacets sont bordés de somptueuses maisons de style victorien. Louiseville, pour ne nommer que cette petite ville des environs, révèle un visage historique étonnant! Dépaysante, en même temps que calmante et rassurante, ce coin de campagne vaut le détour.

Aux abords d'une route des plus tranquilles, la maison s'annonce de façon originale : une réplique de moulin à vent accueille le visiteur dans l'entrée. L'allée de gravier qui conduit à la maison est généreusement bordée de fleurs : des roses, des bleues, des jaunes, des mauves, des blanches, tous les coloris se marient pour former une plate-bande éclatante. Le petit balcon n'est pas en reste puisqu'il est comblé de jardinières luxuriantes. Les colibris raffolent de cet endroit; ils viennent tous les jours s'y rassasier. Pourtant, toute cette abondance n'est qu'un prélude au jardin lui-même.

Coloré et très joliment fleuri, le jardin respire la bonté et la sérénité, tout comme les habitants de cette maison centenaire. Carré parfait, le terrain s'ouvre sur le « parc à oiseaux » conçu par Florent, qui a la retraite très bricoleuse. Les mangeoires, les perchoirs et le bain d'oiseaux côtoient un ancien puits encore utilisé. Le sol dans lequel sont

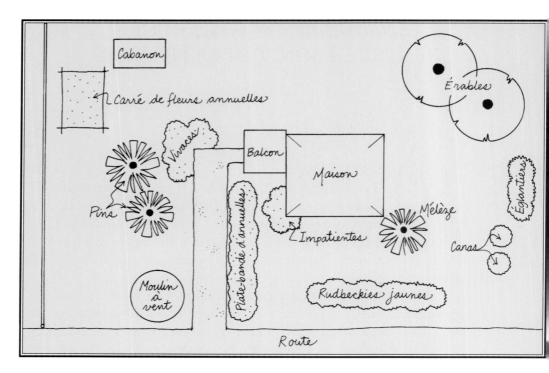

plantés les poteaux qui soutiennent le tout est couvert de pierres. Les pierres sont le matériau préféré de Florent; il en a lui-même recouvert les murs (ils sont magnifiques) et le foyer de la maison, le puits et le sol du parc à oiseaux. Il juge que les graines jetées par terre sont ainsi plus faciles à trouver que sur le gazon.

Ce parc s'intègre à une plate-bande richement fleurie, joyeux mélange de potentilles jaunes, de matricaires (camomille), d'œillets, de pensées et de phlox. Plus loin, le jardin se dessine comme un tableau dont une clôture sert de cadre. Cette barrière de bois accueille, suspendues au bout de poteaux, d'intrigantes cabanes. Ces maisonnettes, ainsi juchées, attirent les merlebleus. Plusieurs couples les habitent, année après année. Florent est d'ailleurs, le tout premier, étonné de la fidélité de ces oiseaux. Cette barrière est également appréciée des orioles et d'un grand héron qui y ont leurs habitudes.

Devant cette invitante frontière s'épanouissent de généreux bouquets de végétation dont l'un est composé de glaïeuls, un autre d'hémérocalles et de monardes, un autre encore de tournesols plantés

spécialement pour les oiseaux qui demeurent là tout l'hiver. La remise, qui fait plutôt maison de poupée, est ornée d'une symphonie de couleurs et d'espèces végétales entremêlées. Ce coin, où l'on remarque une magnifique hydrangée, est celui de Thérèse.

Au mitan du jardin, en allant vers l'arrière, un ruisseau s'écoule doucement, enjambé par un petit pont qui conduit au sous-bois. Un grand bouquet de phlox alphas et de marguerites jaunes pousse au pied d'un cerisier de Montesserey et d'un noisetier. Des aubépines croissent également dans cet espace que voisine un grand carré de cosmos, de pensées et d'autres fleurs qui ajoutent encore de la couleur à l'entrée du boisé.

Pour séparer le jardin de la route, Florent a planté une haie de dahlias et des marguerites jaunes géantes; cette ceinture fleurie est elle-même bordée de spirées roses et d'hydrangées. Un agencement de bégonias et d'alyssums jette une tache rouge et blanche très originale dans cet ensemble. Beaucoup d'arbustes, quelques arbres fruitiers et deux pins ajoutent à la diversité du jardin.

Chouette rayée

L'autre côté de la maison, plus discret, est planté de feuillus et de conifères : érables, mélèzes, épinettes, pins. Une pergola de bois soutient une vigne vierge qui accueille des nids de merles d'Amérique chaque année, et une rangée d'églantiers, entrecoupée de grands

cannas, les plus grands que j'aie vus à ce jour, forme une haie sans prétention. Les jaseurs d'Amérique nichent dans l'une des épinettes.

Enfin, comme si toutes ces plantes ne suffisaient pas à attirer les oiseaux, Florent fait jouer une cassette de musique qui, paraît-il, leur plaît beaucoup. Il ne s'agit nullement de chants d'oiseaux, mais de musique classique! À tout cet amalgame de couleurs et de sons s'ajoute la présence d'un ruisseau, d'une colline et d'une forêt, habitée par une chouette rayée, qui expliquent la venue dans la cour des Bellemare de pluviers kildirs, de martins pêcheurs, de goglus et de grands hérons...

D'autres oiseaux fréquentent ce petit paradis : des chardonnerets qui se perchent dans la vigne vierge en attendant leur tour de s'alimenter, des mésanges, des bruants, des gros-becs, des pics chevelus, des tourterelles, des geais bleus et des roselins. Thérèse et Florent en ont même surnommé quelques-uns : Foncine est un quiscale bronzé aux plumes blanches, qui revient chez les Bellemare chaque année, et Hector, le grand héron, se perche souvent sur le poteau électrique en face de la maison. Cette complicité fait le bonheur du couple Bellemare; on peut le lire dans leurs yeux!

Buse à queue rousse

L'ACADIE: JARDIN D'OISEAUX
ET FAMILLE D'ACCUEIL

N banlieue de L'Acadie et en bordure de la rivière du même nom, que l'on entend couler par temps calme, la maison des Hébert se dresse au milieu d'un boisé, en plein sur la voie migratoire des oiseaux. Au printemps et à l'automne, les bernaches et les buses de toutes variétés les surprennent au passage...

Observer les oiseaux, chez les Hébert, c'est une histoire de famille qui dure depuis près de sept ans; leur vie de famille s'est même en partie développée autour de cette forme de loisir. Sur les conseils d'une collègue de travail qui attirait les oiseaux en ville, Francine a acheté sa première mangeoire; le premier pas était franchi! Depuis lors, les oiseaux font partie du quotidien des Hébert; parents et adolescents rivalisent d'imagination pour inventer des moyens de les séduire.

Pour les Hébert, mangeoire et cacahuètes comptent parmi les meilleures façons de voir de plus près les geais bleus, les chardonnerets, les mésanges, les roselins et d'autres oiseaux moins familiers, mais ce ne sont certes pas les uniques attraits de leur propriété. La cour renferme un boisé qui se prolonge jusqu'à la rivière Acadie, toute proche de l'arrière de la maison.

Le petit bois est composé d'épinettes, de pins, de tilleuls, d'érables, de chênes, de mélèzes qui forment un mélange équilibré de conifères et de feuillus, refuges parfaits pour les oiseaux. Cette forêt en miniature est bordée de chaque côté d'une haie de cèdres. La mangeoire est perchée aux branches d'un cormier, cet arbre à petits fruits dont sont friands les oiseaux. Le choix est judicieux puisque les oiseaux se posent dans l'arbre d'où ils examinent les alentours avant d'aller se nourrir. Le bain d'oiseaux est également tout proche.

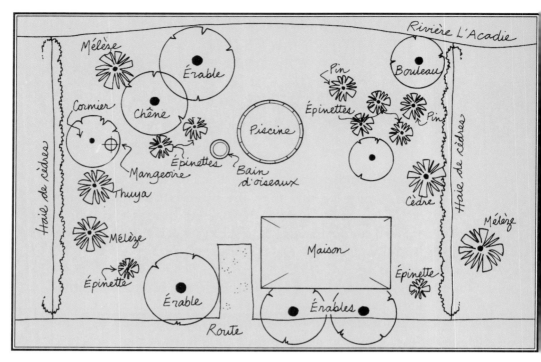

Rivière L'Acadie

Mélèze
Érable
Bouleau
Pin
Cormier
Chêne
Épinettes
Pin
Piscine
Épinettes
Mangeoire
Bain d'oiseaux
Cèdre
Thuya
Mélèze
Mélèze
Maison
Épinette
Épinette
Érable
Érables
Route

Haie de cèdres
Haie de cèdres

Paruline verte à gorge noire

Évidemment, les environs grouillent de vie! Les Hébert ont constaté que des tourterelles, des cardinaux – une famille au grand complet –, des grands pics, des pics mineurs et des pics flamboyants, des quiscales, des étourneaux sansonnets, des parulines à gorge noire et des sittelles fréquentaient leur jardin. Ils ont souvent entendu l'oriole du Nord, sans jamais le voir toutefois.

La famille Hébert est même un jour devenue famille d'accueil pour une couvée de merles alors que leur nid, construit dans la haie, s'était écroulé. Replaçant la petite maison de brindilles dans l'une des épinettes en croissance sur leur terrain, les Hébert sont allés jusqu'à nourrir les oisillons! Quelle famille!

DANS LA VALLÉE DU RICHELIEU, UN ESPACE DESSINÉ POUR LES OISEAUX

N bordure de la rivière Richelieu, tout près du village du même nom, Véronique Michel et son copain Mario Bernard sont des amateurs avertis, épris d'horticulture et d'ornithologie.

L'arrière de leur propriété communique avec un territoire classé zone agricole, de grands champs s'étendent donc à la suite du terrain des Michel-Bernard, un espace par ailleurs virtuellement dessiné pour accueillir les oiseaux. Pas assez toutefois au goût de Véronique qui a conçu son coin à oiseaux cette année seulement, et qui entend bien jardiner à cette seule intention dans les années à venir.

Même si, pour le moment, l'espace destiné à la gent ailée n'est qu'une plate-bande (malgré tout assez vaste) plantée de lys chinois, d'héméro-calles et d'arbustes, ce lieu est déjà très fréquenté par les oiseaux. C'est qu'ici la végétation, sauvage et cultivée, est abondante et diversifiée. Véronique aime les jardins de style ancien, comme en témoignent les odo-rants œillets de poète, les clématites, les pieds-d'alouette et la magnifique hydrangée, qui agrémentent l'avant de la maison.

La terrasse où l'on déguste les apéros aussi bien que les repas, située sur le côté de la résidence, est encadrée de verdure. Des cèdres magni-fiques que les propriétaires taillent en des formes inusitées, mêlés à quelques lilas, constituent une haie très originale qui s'ouvre sur la plate-bande aux oiseaux. De la terrasse, on aperçoit, à l'avant-plan, deux grands érables aux branches desquels sont suspendues, bien en vue, les mangeoires.

La haie de cèdres qui borde la maison est, à un certain endroit, interrompue par une construction, héritage des premiers propriétaires. Il s'agit d'une ancienne verrière dont la forme rappelle une pergola et dont le fond, creusé et recouvert de ciment, abritera bientôt une

**Paruline
à flancs
marron**

Tyran huppé

cascade pour les oiseaux. L'endroit est déjà très fréquenté; l'an dernier, plusieurs familles d'hirondelles nichaient dans les petites maisons suspendues à la structure de bois.

À l'arrière de la maison fleurit une rangée de pivoines, les fleurs préférées de Véronique. Derrière cet écran de verdure s'étend un potager dont les carrés de légumes sont bordés de fraisiers réservés à l'usage exclusif des oiseaux... qui ne s'en privent pas. Véronique soutient que c'est sa quote-part à Dame Nature.

D'autres cèdres limitent le terrain à l'arrière, tandis que du côté sud de la maison se cachent des lilas, des jasmins et des bouquets de lys chinois – que Véronique transfère à un endroit plus visible du jardin.

Véronique et Mario ont toujours aimé les oiseaux. D'aussi loin qu'ils s'en souviennent, ils ont côtoyé ces petits amis ailés. Même en ville, ils suspendaient des mangeoires où ils le pouvaient. Mario, en bricoleur adroit, a fabriqué les jolies maisonnettes à hirondelles; c'est également lui qui a creusé le bassin et qui se chargera de la construction d'un bain chauffant pour les visiteurs d'hiver.

En attendant l'hiver, les quiscales, que Véronique apprécie beaucoup – tous les oiseaux sont les bienvenus –, ont élu domicile dans les cèdres; leurs nids sont bien protégés par la densité du couvert de verdure que procurent ces arbres. Bien qu'absentes cette année, les hirondelles bicolores sont, elles aussi, des habituées des lieux. Les roselins, les carouges à épaulettes, les tourterelles abondent tandis que les colibris virevoltent dans les lilas et les glaïeuls en fleurs, parfois même dans les cèdres. Les merles s'empiffrent des vers tirés d'un sol généreux et les jaseurs d'Amérique et les cardinaux se pointent fréquemment dans les arbres des alentours. Des sizerins flammés, des tyrans huppés et des parulines à flancs marron font honneur à l'aménagement préparé par Véronique et Mario.

Étant donné la situation privilégiée de la maison sur la route migratoire des oiseaux, le couple jouit, au printemps et à l'automne, du spectacle des oies blanches et des canards qui s'envolent vers le nord ou le sud.

L'hiver dernier, ils ont même aperçu des gélinottes huppées, ces jolis oiseaux communément nommés perdrix, sur le foyer qui sert de quartier d'hiver à toute la faune ailée. Quand on pense que l'aménagement du coin à oiseaux de Véronique n'est même pas encore terminé...

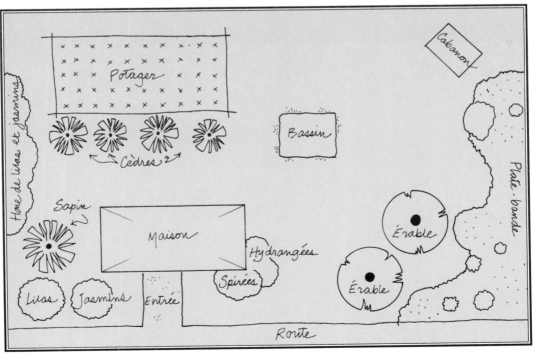

Labels on the plan:

Cabanon

Haie de lilas et jasmins

Potager

Bassin

Cèdres 2

Plate-bande

Sapin

Maison

Érable

Hydrangées

Spirées

Lilas

Jasmins

Entrée

Érable

Route

À FRELIGHSBURG,
UNE NUÉE DE COLIBRIS

MADELEINE et André Mérineau sont de jeunes retraités. Ils ont suivi à la lettre la formule « Liberté 55 » avant même qu'elle ne soit inventée. André Mérineau était un organiste et un professeur de musique très connu dans la métropole quand son épouse Madeleine et lui décidèrent, il y a une dizaine d'années, de se retirer dans leur maison de campagne de Frelighsburg.

Ils avaient acquis auparavant une terre agricole de 30 hectares en assez mauvais état qu'ils comptaient améliorer en changeant sa vocation. Ce qu'ils firent en y plantant 55 000 arbres, des conifères pour la plupart, mais aussi 13 000 frênes rouges, dans les champs et les prés avoisinant la maison.

En réalité, ces frênes n'ont pas été plantés dans le seul but d'attirer les oiseaux, mais imaginez l'activité qui régnera en hiver chez les Mérineau quand ces arbres commenceront à produire des samares qu'ils conservent presque toute la saison froide et que recherchent les oiseaux d'hiver, surtout les gros-becs errants.

Le premier arbre à oiseaux que découvrirent les Mérineau sur leur nouvelle propriété fut un amélanchier, plus exactement un bouquet d'amélanchiers qui produisent un fruit délicieux dit petite poire, fruit préféré des merlebleus. Comme des rejetons croissaient au pied de ces arbres, ils eurent tôt fait de les transplanter aux quatre coins de leur propriété.

Ils trouvèrent également une petite aubépine dans le ravin tout proche. Avec le temps, un peu d'élagage et quelques soins, cet arbre, que beaucoup de gens considèrent comme nuisible à cause de ses épines, a pris l'allure d'un acacia africain et l'étalement de sa ramure atteint les dix mètres. Cet arbre magnifique sert de refuge inviolable aux

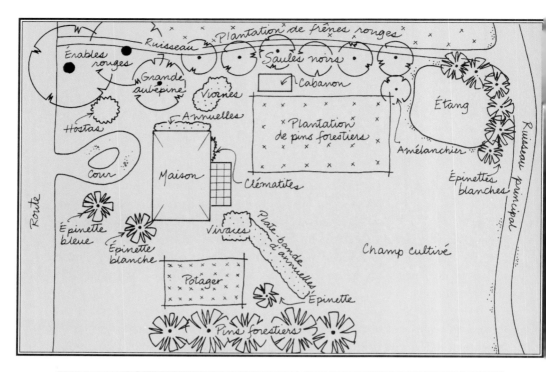

Plantation de frênes rouges

Ruisseau

Érables rouges

Saules noirs

Grande aubépine

Cabanon

Vignes

Étang

Annuelles

Hostas

Plantation de pins forestiers

Amélanchier

Cour

Maison

Épinettes blanches

Ruisseau principal

Clématites

Épinette bleue

Épinette blanche

Vivaces

Plate-bande d'annuelles

Champ cultivé

Potager

Épinette

Route

Pins forestiers

Dur-bec des pins

oiseaux de petite taille tout en fournissant une fructueuse récolte de cenelles que les oiseaux de passage disputent aux résidents.

Ensuite, nos amis plantèrent un bosquet de pins forestiers au-delà du potager et une haie brise-vent des mêmes arbres au nord-ouest de la maison. Comme les merles et les tourterelles recherchent ces essences pour y nicher, cette haie bourdonne d'activité.

André se mit en devoir de creuser un étang, dans l'espoir d'y élever des truites. Les loutres qui habitaient le ruisseau voisin ne mirent pas longtemps à les découvrir et à les dévorer jusqu'à la dernière. Alors l'étang fut abandonné aux grenouilles, mais leur présence attira bientôt les grands hérons qui y règnent aujourd'hui en rois et maîtres.

Madeleine connut plus de succès dans ses entreprises : elle, qui a la « main verte », ne tarda pas à installer de splendides plates-bandes. Elles attirent d'abord par leurs fleurs les insectes bientôt pourchassés par les parulines et les oiseaux insectivores. Plus tard, leurs graines régalent les bruants et autres oiseaux granivores. André y ajouta quelques viornes trilobées et un pommetier dont les fruits tardifs retiennent les durs-becs des pins, les jaseurs d'Amérique et les jaseurs boréaux.

Bien qu'une avifaune variée circule sans arrêt autour de leur demeure, les Mérineau portent une affection particulière aux colibris. Spécialement à l'intention de ces joyaux volants, Madeleine plante de la monarde et entretient des clématites. Résultat : des dizaines de ces oiseaux ravissants exécutent sans cesse leurs prouesses aériennes et leurs couleurs chatoyantes se confondent à celles des fleurs pour le plus grand bonheur de ces gens heureux.

Merlebleu de l'Est

SUR LES BORDS DU LAC BROME,
LES COLIBRIS ONT DE LA MÉMOIRE

A ville de Lac-Brome se profile sur les rives du lac du même nom, l'un des plus grands de l'Estrie. Les petites routes qui y conduisent dévoilent de somptueux paysages, de ceux dont on se souvient longtemps après avoir quitté les lieux.

Huguette vit aujourd'hui une retraite paisible, avec son conjoint Sylvain, sur les berges du lac Brome. Sa petite maison ne donne pas directement sur le plan d'eau, mais le couple y a toutefois accès et fait parfois des rencontres surprenantes. C'est d'ailleurs là qu'ils ont observé un grand héron, perché sur le quai qui s'allonge dans la petite baie. Beaucoup d'oiseaux migrateurs nichent aussi à proximité. Il n'est pas rare d'apercevoir des canards malards, parfois même des huarts.

L'arrière de la demeure s'ouvre directement sur un petit boisé constitué d'un mélange de grands arbres où les conifères dominent. C'est le domaine du grimpereau brun et de la grive solitaire. Cet espace est abandonné à la nature, sauf pour ce qui est de la mangeoire placée en face de la fenêtre de la salle manger. Les fleurs d'Huguette ornent plutôt l'avant de la remise, là où paresse le soleil tant que s'étire le jour. De jolis arbustes bordent aussi la fenêtre où est suspendu l'abreuvoir à colibris.

Huguette raconte une anecdote fort amusante sur la capacité de mémoire des oiseaux-mouches. Au printemps, avant même qu'elle n'installe l'abreuvoir, les colibris se sont présentés. Ne le voyant pas à sa place, les oiseaux auraient donné du bec contre la fenêtre pour réclamer leur dû! Les colibris seraient toutefois moins nombreux à se presser à l'abreuvoir depuis qu'Huguette a planté des monardes dans sa plate-bande : ils préfèrent le nectar de ces fleurs à l'eau sucrée. Une plate-bande joliment aménagée et très colorée s'épanouit à l'ombre de grands arbres protecteurs. Sur un côté de la maison, une haie d'ormes chinois abrite des nids de merles.

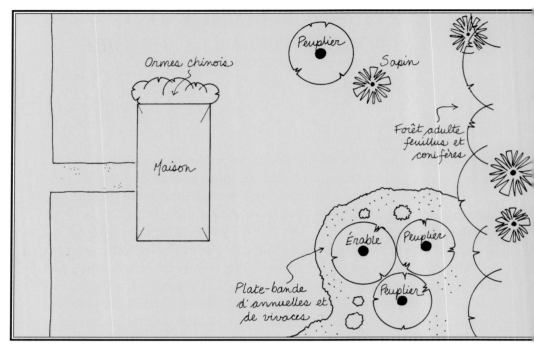

Les mêmes petits oiseaux qui fréquentent les mangeoires, en ville, visitent la leur, installée devant la fenêtre de la pièce où Huguette et Sylvain prennent le petit déjeuner. Ainsi, leur premier repas du jour se passe en compagnie de chardonnerets, de roselins et de mésanges à têtes noires. Cependant beaucoup d'autres membres de la faune ailée frayent dans les parages, même s'ils ne se font pas toujours voir. Des cardinaux, par exemple, Huguette en a souvent reconnu le chant, sans les distinguer. Des geais bleus et des gros-becs à poitrine rose se pointent également dans les environs, de même que des juncos ardoisés, ces petits oiseaux tout gris qui se nourrissent au sol, dans les fougères.

La région est également réputée pour sa population dense de cerfs de Virginie. C'est d'ailleurs l'un des grands plaisirs du couple d'aller se balader un peu plus loin, au haut d'une colline, et de guetter les brèves mais fréquentes apparitions des cervidés. Leurs histoires évoquent aussi les moments d'exception où les cerfs se sont avancés jusque dans leur cour, ayant peut-être humé les bonnes odeurs émanant de la cuisine d'Huguette. Lorsque l'on se plaît dans la nature et qu'on la respecte, celle-ci nous le rend bien!

Grimpereau brun

Grive solitaire

EN ESTRIE : AU BOUT DE LA ROUTE, LE PARADIS

Au bout d'une petite route bordée de vergers se dresse la grande maison de campagne de Lucie Desjardins et de Michel Vézina. La propriété, ceinturée de forêt, est sise dans la partie vallonnée de l'Estrie, à Sainte-Cécile-de-Milton. Granby est à quelques kilomètres seulement.

Lucie et Michel s'intéressent depuis longtemps à l'ornithologie, c'est-à-dire depuis leur première résidence d'été, à Saint-Sauveur, où la maison surgissait au milieu de grands prés et où les espèces aperçues étaient très différentes de celles qu'ils observent aujourd'hui en Estrie. Ils ne se considèrent pas comme des spécialistes, mais comme des amateurs renseignés, capables d'identifier les oiseaux qui fréquentent leur cour. Au fil des années, ils ont acquis une bonne connaissance de la faune ailée. Pourtant, ils continuent à acheter des livres et à se renseigner sur les oiseaux...

Quant à l'aménagement horticole de la propriété, le couple y travaille depuis 1984. Ainsi, le grand étang derrière la maison, ils l'ont creusé eux-mêmes. Il faut dire que le terrain pentu surmonté d'un cap de roche et composé de terre glaise se prêtait à merveille au creusage d'un étang de cette superficie. Car il ne s'agit pas ici d'une mare, mais bien d'un plan d'eau d'environ trente mètres de diamètre. Une cascade, qui a son origine au point le plus élevé du terrain, sur le côté de la maison, descend doucement jusqu'au lac.

Bordé de fleurs et d'arbustes, comme les chèvrefeuilles, rudbeckies, cosmos, hostas, monardes, weigelas, genévriers grimpants et bien d'autres, le ruisseau représente un atout de taille pour les oiseaux qui y trouvent de quoi boire et se rafraîchir par temps de canicule, tout en étant en sécurité. Ces végétaux ornent aussi abondamment l'avant et les côtés de la maison. Ces plantes, pour la plupart indigènes, ont été

Héron vert

plantées par les propriétaires dans un but ornemental, mais sélectionnées pour plaire aux oiseaux.

Le lac accueille quotidiennement un martin-pêcheur, qui a choisi le jeune saule, le seul grand arbre à proximité du lac, pour se reposer et pour observer les alentours. Au printemps, Lucie et Michel ont également constaté qu'un couple de colverts fréquentait le lac, probablement attiré par le maïs répandu au bord du lac par Lucie. Pendant deux mois, les canards ont adopté l'endroit, pour le quitter au moment où leur nidification était terminée.

Un héron vert, qui visite assidûment le lac naturel situé au centre du verger jouxtant la terre des Desjardins-Vézina, y vient aussi pour happer de façon assez singulière les grenouilles, abondantes aux abords du lac.

D'autres oiseaux curieux comme le chevalier branlequeue et le pluvier kildir se tiennent aussi dans les parages. Le pluvier kildir, assez

Paruline rayée

étrangement, réside dans les fossés des alentours, parfois même sur le terrain, ont remarqué Lucie et Michel. Les jaseurs d'Amérique, sans doute attirés par les grands arbres qui bornent le terrain, et les hirondelles bicolores fréquentent également le site.

L'étang attire donc beaucoup d'oiseaux, mais les visiteurs seraient sans doute plus nombreux s'il y avait plus de grands arbres autour du lac. Ceux qui le bordaient autrefois sont morts et la grève est désormais ornée de graminées superbes, d'un lilas japonais et d'un jeune saule, dernier survivant d'une génération décédée, dont le martin-pêcheur a pris possession. Au temps où ces arbres étaient en vie, des tangaras écarlates s'y cachaient. Les arbres morts ont toutefois permis au couple d'observer des pics de toute espèce, nombreux dans les environs.

Une forêt d'érables, de bouleaux gris, de hêtres, de noyers et de frênes entoure la propriété et attire les parulines de toute variété.

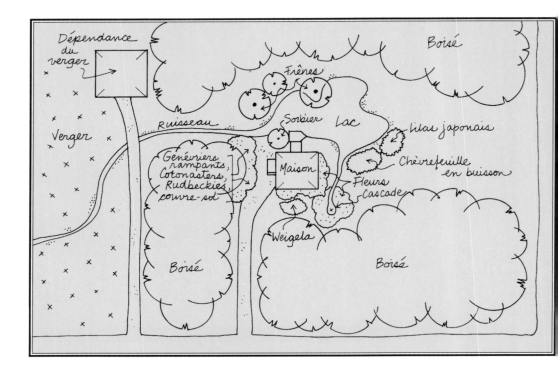

Puisque les conifères poussent bien ici, Lucie et Michel plantent chaque année des pruches, des pins et des mélèzes; plus de cent cinquante pins ont grandi sur le terrain depuis dix ans. Pour créer plus d'ombrage et attirer les oiseaux encore plus près de leur demeure, Lucie et Michel prévoient planter des arbres toujours plus près de la maison. Ces derniers côtoieront le sorbier des oiseleurs, déjà situé à proximité des mangeoires que l'on a suspendues aux poutres du toit de la grande galerie, bien en face des fenêtres, pour que l'observation continue... la cohabitation humains-oiseaux aussi!

EN ESTRIE : UN HORLOGER
À L'HEURE DES OISEAUX

CLAUDE FAUCHER et sa compagne Claudette aiment les oiseaux. C'est peu dire! Au détour de la route 249 qui conduit à Saint-Denis-de-Brompton, en Estrie, il faut se garder de ne pas dépasser par mégarde la maison dissimulée derrière les pins. Bien que sa réputation d'horloger ne soit plus à faire, Claude s'étonne chaque fois qu'un organisateur de rallye automobile s'arrête devant sa maison pour lire l'heure affichée sur son annonce en devanture. Leur intérêt ne se borne pas au métier mentionné sur la pancarte. Dans la région, on connaît la passion de Claude Faucher pour les oiseaux : une question du rallye s'est même déjà lue comme suit : « Quelle heure est-il chez l'homme qui aime les oiseaux? »

Depuis plus d'une quinzaine d'années, le terrain de Claude s'est métamorphosé: Tout ici, sauf un bouquet de lilas, a été planté par les propriétaires. Ce qui pousse sur la propriété est pourtant d'origine indigène et la plupart des arbres proviennent des terres de Claude qui s'étendent sur près de deux kilomètres à l'arrière de la maison.

Claudette, la conjointe de Claude, est l'experte en fleurs. Ces fleurs qui décorent le terrain, en plus d'y ajouter de la couleur, séduisent les oiseaux. La colonie de colibris qui y butinent en est la preuve vivante. Jamais je n'en avais vu autant. Époustouflant!

L'aménagement très original des Faucher est vraiment conçu de façon à inciter les oiseaux à le fréquenter. De fait, attirer des oiseaux différents constitue un défi pour Claude. Un de ses plus grands succès est sans conteste l'établissement de couples de merlebleus dans ses cabanes. Depuis sept ans maintenant, les merlebleus, réputés pour se tenir loin des habitations des humains, nichent dans les petites maisons

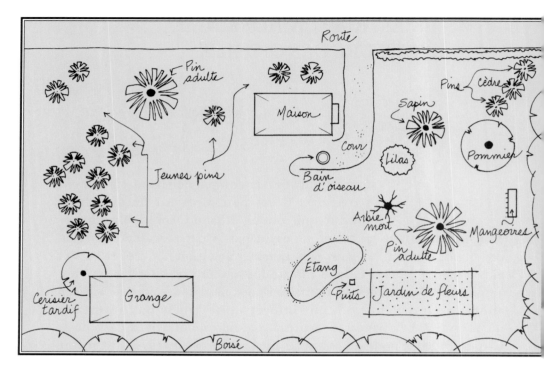

qu'il a lui-même construites à quelques mètres à peine de la demeure. Tout un exploit!

Les arbres plantés par les mains des Faucher grandissent et, en raison de cette croissance, Claude note que plus d'espèces encore fréquentent la propriété, tels cette grive et ce tangara écarlate qu'il a vus pour la première fois cette année. Plusieurs nids de jaseurs d'Amérique se cachent d'ailleurs dans les grands pins qui s'élèvent devant et sur les côtés de la maison. Des nids assez particuliers, cousus de laine blanche. Ce phénomène tire son origine des lectures du couple qui leur ont appris que les jaseurs utilisaient, pour fabriquer leurs nids, les éléments mis à leur disposition. C'est bien vrai!

Une année, Claude a même joué le rôle de parent adoptif d'une couvée d'hirondelles dont le mâle était porté disparu! En outre, à chaque saison de nidification, ce généreux observateur prépare une mare de boue qui entrera dans la fabrication des nids de ses amis ailés. Faut-il ajouter que l'endroit est populaire?

Goglu

**Hirondelle
bicolore**

Ici, il faut avoir les yeux partout. Quand ce ne sont pas les chardonnerets des pins, les chardonnerets jaunes, les jaseurs d'Amérique, les hirondelles bicolores, les tourterelles, les merles d'Amérique et même les merlebleus qui nous enchantent de leur présence, ce sont le splendide cardinal à poitrine rose, le pic maculé ou le gros-bec errant qui se manifestent devant nos yeux. Fantastique! On comprend Claude d'avoir choisi la pièce de la maison qui a vue sur le terrain pour y installer son atelier, et la fenêtre de cette pièce pour y placer son bureau! Le spectacle est continuel.

En plus de ceux qui sont bien en vie, on trouve, en différents endroits du terrain, de grands arbres morts percés de trous qui font la joie des pics. Claude s'amuse d'ailleurs à percer les troncs et à déposer des graines dans les trous. Quelques heures plus tard, tout est à refaire; ils sont goinfres, ces oiseaux! Les expériences de Claude pour découvrir de nouveaux aliments attirants pour les oiseaux lui ont fait faire plusieurs découvertes : les pics adorent les noyaux de mangue, les merles, les raisins secs répandus au sol et les hirondelles se régalent des coquilles d'œufs qu'elles trouvent mêlées au gravier.

Les oiseaux sont donc assurés, ici et dans les boisés des alentours, de la protection et de la nourriture nécessaires à leur survie. L'eau, à l'arrière de la propriété, est fournie par un ruisseau naturel situé à environ 250 mètres, au milieu d'un champ fréquenté par les goglus. Puisque Claude aime bien voir ses amis batifoler dans l'eau, il a creusé un petit bassin dans la roche, au bout du chemin.

Le décor des Faucher a donc tout pour attirer et garder les oiseaux : on y trouve les trois éléments mentionnés dans le préambule : abri, nourriture et eau.

SUROÎT: UN JARDIN D'OISEAUX
QUE FRÉQUENTENT LES AIGRETTES

À QUELQUES kilomètres seulement de la frontière des États-Unis, dans le Suroît, la région de Beauharnois-Salaberry est l'une de ces parties du Québec assez méconnues mais dont les beautés méritent le détour; au sommet de Covey Hill, une vertigineuse colline qui offre un point de vue fabuleux sur les environs, s'élève la maison des Fortin.

La route qui mène chez Jacques Fortin se déroule en des kilomètres d'arbres fruitiers, de pommiers cultivés, d'arbres sauvages également. La ligne des vergers n'est interrompue que par la demeure des Fortin. Le terrain est vaste, très vaste, mais non dénué d'intérêt.

Sur sa propriété, pour meubler la tache de plaine qu'elle produit dans le voisinage, Jacques a planté un saule, encore jeune, un pommetier décoratif, un bouleau. Des épinettes, des érables et une magnifique plantation de pins garnissent également le terrain.

Jacques a pu observer que le petit orme, placé juste devant la fenêtre, servait de reposoir à un colibri mâle, qui s'y perche en attendant d'aller s'abreuver, mais que sa femelle choisit plutôt le prunier, également tout proche. Jacques a aussi réussi à attirer des merlebleus. C'est à la suite de la lecture d'un article sur le sujet que Jacques s'est mis à la fabrication de nichoirs pour merlebleus. Ces cabanes juchées au sommet de hauts piquets attirent en effet ces oiseaux, et ils y ont élu domicile. Fier de sa réussite, Jacques en a dénombré deux nichées l'été dernier.

Plantée au sommet de la colline ceinte de boisés sauvages ou cultivés, la demeure des Fortin est très fréquentée par des oiseaux familiers comme les hirondelles bicolores – pour lesquelles Jacques a érigé des cabanes –, des vachers à tête brune, des étourneaux, des chardonnerets, des roselins, des bruants, des geais bleus, des tourterelles, des colibris, des merles d'Amérique, des mésanges et des

**Viréo aux
yeux rouges**

**Gélinotte
huppée**

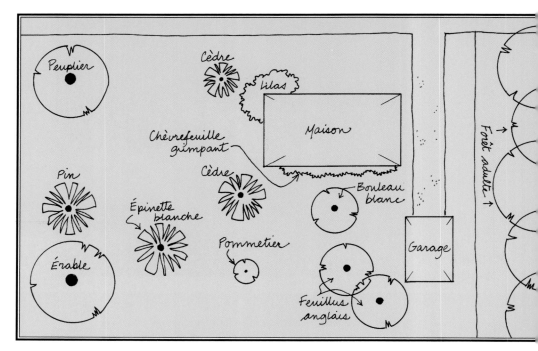

quiscales bronzés. D'autres oiseaux moins communs y viennent, notamment des cardinaux à poitrine rose, des orioles des vergers, des pics maculés, des sittelles, mais aussi des oiseaux encore plus rares. Ainsi, sans doute en raison de la proximité de lacs derrière la propriété, Jacques et sa compagne ont reconnu et aperçoivent encore souvent des pluviers kildir, des aigrettes bleues, des buses, des éperviers, des moqueurs roux, des hiboux et même des gélinottes huppées.

L'observation des petits oiseaux se fait en général de la salle à manger entièrement vitrée qui donne sur la cour. La plate-bande qui borde la fenêtre est composée de cèdres, de chèvrefeuille grimpant et de fleurs. Les colibris, séduits par la couleur rouge de l'eau sucrée de l'abreuvoir, butinent aussi allègrement dans la plate-bande fleurie. Un côté de la maison reproduit à peu de chose près cette plate-bande, agrémentée d'un bouquet de lilas et d'un weigela en arbuste, l'un des préférés du colibri.

Retraités depuis quelques années, les Fortin apprécient cette visite des oiseaux chez eux. Un bonheur tranquille qui se goûte dans la sérénité.

ENTRE QUÉBEC ET LANCASTER, UN LIEU SAUVAGE TRÈS SECRET

FRANCINE N. travaille en psychiatrie et rencontre parfois de drôles d'oiseaux. Aussitôt qu'elle dispose de quelques heures de liberté, elle se réfugie à la campagne pour se remettre de ses émotions en compagnie des vrais oiseaux.

Son coin de prédilection est une vieille ferme située en un endroit secret, quelque part entre Québec et Lancaster. Secret et sauvage. Ses cinq hectares de champs à l'abandon encadrés d'une forêt de feuillus adultes, où les grands ducs d'Amérique hululent la nuit, ont été envahis, au cours des ans, par une multitude d'arbrisseaux, de buissons et de plantes, toutes plus attrayantes les unes que les autres pour les oiseaux. Sans compter les arbres et arbustes qu'elle a elle-même plantés.

Quand l'agriculture y fut délaissée, il y a un quart de siècle, les bouleaux à feuilles de peuplier, les bouleaux gris ont les premiers envahi la place. Ils ont aujourd'hui huit mètres de haut et offrent couvert et nourriture à une multitude d'oiseaux insectivores, notamment les parulines les plus rares.

Les pommiers de la vieille ferme sont devenus sauvages et les oiseaux de passage en ont semé des dizaines d'autres. Dès le mois d'août, les passereaux disputent les fruits de ces sauvageons aux chevreuils et aux gélinottes.

Des touffes de viornes trilobées croissent un peu partout autour du bâtiment, tout comme les gadeliers, les framboisiers, les mûriers et le sureau blanc. En parcourant la propriété, on découvre autant d'aubépines que de pommiers. Des cerisiers tardifs centenaires et des frênes blancs adultes encadrent le terrain. Des amélanchiers, sauvages ou ajoutés, poussent en divers endroits. Imaginez l'abondance et la

Paruline à
gorge orangée

Grand-duc
d'Amérique

diversité des fruits que produisent toutes ces plantes : les oiseaux ne savent plus où donner du bec!

Comme si ce n'était pas assez, une vigne vierge escalade l'angle de la maison, à proximité du grand lilas, de vieux églantiers s'épanouissent avec bonheur en bordure de la route vicinale et un bosquet de vinaigriers s'étale à l'entrée.

Il serait peu indiqué, dans un tel décor, de cultiver des fleurs conventionnelles. Francine opte plutôt pour des fleurs sauvages qu'elle sème à la volée dans un sol toutefois bien préparé. Le résultat est spectaculaire : ses fleurs éclatent en un feu d'artifice nourri, puis montent en graine pour le plus grand plaisir des oiseaux granivores.

Ici, pas d'oiseaux indésirables. Les vachers qui, ailleurs, pondent leurs œufs dans les nids des fauvettes et leur font élever leurs petits, ne trouvent pas ici les champs ouverts qui leur conviennent. Les quiscales sont absents. En revanche, les merlebleus sont accueillis par une demi-douzaine de jolies maisonnettes que leur disputent parfois les hirondelles bicolores et même les troglodytes familiers qui y ont niché deux fois cette année.

À tout prendre, ce lieu est tellement sauvage qu'on y trouve, parole d'auteur, des animaux dont on ne se doute pas qu'ils pourraient peupler le même décor. Non seulement observe-t-on chez Francine les oiseaux les plus rares, tels le bruant indigo et la paruline à gorge orangée, mais aussi et en même temps l'ours noir, la martre du Canada, l'orignal et le dindon sauvage!

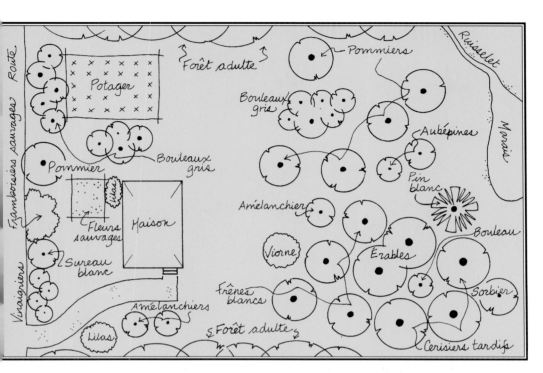

Route
Framboisiers sauvages
Vinaigriers

Potager

Forêt adulte

Pommiers

Bouleaux gris

Ruisselet

Aubépines

Marais

Pommier

Bouleaux gris

Lilas

Maison

Fleurs sauvages

Sureau blanc

Amélanchier

Pin blanc

Bouleau

Érables

Viorne

Sorbier

Amélanchiers

Frênes blancs

Lilas

Forêt adulte

Cerisiers tardifs

Tyran tritri

À GRANBY: LISE ET MARC WARTE, DES HORTICULTEURS DE MÉTIER À L'ŒUVRE

ISE et Marc Warte possèdent un petit paradis, dans l'Estrie, à quelques kilomètres seulement de Granby. Leur maison, à la fois sobre et hospitalière, se dresse en bordure d'une petite route de campagne peu fréquentée.

L'horticulture a peu de secrets pour ces deux horticulteurs de métier. Marc a hérité du sien de son père, lui-même horticulteur. Il continue plus que jamais à œuvrer dans ce domaine, puisqu'il travaille dans l'une des plus grandes pépinières de la région. Lise a longtemps été sa collaboratrice; actuellement, même si elle explore une toute nouvelle voie, elle n'a pas cessé d'aimer le jardinage.

« Cordonnier mal chaussé… » prétend l'adage. Faux ici, toutefois. Bien que l'aménagement soit jeune, puisque les propriétaires n'ont acquis la maison que depuis moins de cinq ans, on sent qu'ils ont « la main ». Marc reconnaît que les loisirs lui manquent pour parfaire son installation, mais dès qu'il en aura le temps, il mettra à exécution ses projets de plantation d'arbres supplémentaires et d'arbustes à petits fruits propres à attirer les oiseaux. Déjà deux poiriers, un cerisier et un mûrier pleureur – un magnifique arbuste – ornent la cour.

Malgré sa création récente, de nombreux visiteurs fréquentent déjà cette cour que ne garnit aucune mangeoire en été. Fait surprenant, c'est là que j'ai aperçu le plus grand nombre d'espèces ailées, dont un colibri qui butinait dans le bouquet de monardes planté en amont du potager, et un pic mineur tambourinant dans le sous-bois. C'est que les oiseaux sont naturellement assez choyés, ici! De tous bords tous côtés, ils ont de quoi se rassasier…

Outre les érables qui séparent la propriété de Lise et Marc de celle de leurs voisins de gauche et de droite, des grandes épinettes blanches, de jeunes épinettes bleues récemment plantées, cadeaux du père de Marc,

Paruline flamboyante

et les quelques arbres fruitiers mentionnés plus haut garnissent la cour. Mais ce qui retient surtout l'attention, c'est le potager où s'épanouit toute une variété de légumes, de fleurs et de fines herbes. Les Warte, faut-il le préciser, n'utilisent aucun pesticide ou insecticide chimique.

Au fond de la cour, le sous-bois est resté à l'état sauvage; les humus, les arbustes et les arbres se partagent l'endroit. Là, j'ai pu voir un pic mineur en quête de nourriture pour sa couvée, qu'on entendait très bien crier famine! Fascinante observation du quotidien de ce bel oiseau dont sont régulièrement témoins Lise, Marc et leurs adolescents.

Leur site d'observation préféré est d'ailleurs on ne peut plus naturel : en plein centre du terrain, sous la grande épinette blanche, à quelques mètres seulement du potager. De là, il est facile d'observer la vie qui fait vibrer les branches de l'épinette et de garder un œil sur le potager, à

l'affût d'apparitions comme celle du colibri survolant les monardes, ces superbes fleurs écarlates qui pointent vers le ciel!

Des oiseaux, les Warte en ont vu beaucoup dans leur cour : des pics flamboyants qui viennent chercher des vers dans la pelouse, des pics mineurs qui nichent dans les grands arbres du sous-bois, tout au fond de la cour, et des pics maculés. Un moqueur chat leur a fait une imitation de matou assez réussie au cœur du buisson de petits fruits sauvages situé dans le fossé à côté de la maison, et un moqueur polyglotte, une parodie des autres oiseaux qui visitent le jardin.

Curieusement, il n'y a pas trace de moineaux ici. Ils ont été remplacés par les bruants familiers, les mésanges, les parulines flamboyantes, les tyrans tritri, les chardonnerets qui se tiennent dans les arbres, les jaseurs d'Amérique, les roitelets, les tourterelles tristes, les merles et les geais bleus. Les épinettes semblent attirer les orioles; la

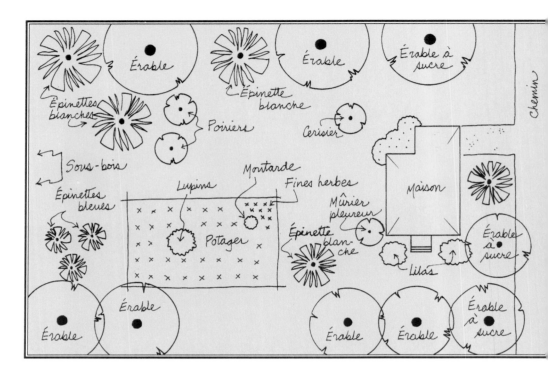

première fois que les propriétaires en ont vu, c'était dans ce grand arbre. Un gros-bec errant, un habitué de l'hiver, s'est même hasardé quelques fois en été!

Les corneilles aiment également beaucoup cette propriété très hospitalière. Malheureusement, elles s'attaquent aux nids des geais bleus et des carouges, qui ne s'en laissent toutefois pas imposer. Les Warte se rappellent une attaque assez féroce des corneilles par les carouges; ceux-ci, pour défendre leur nid, fonçaient en vol sur les premières. Spectaculaire et singulier combat.

Cette sympathique demeure n'a pas fini d'attirer les foules... ailées. L'hiver, les mangeoires toujours pleines ramènent les roselins, les sizerins, les sittelles, les gros-becs errants et les cardinaux. Lorsqu'on les enlève dès le mois d'avril, la nature reprend son cours, toujours agrémentée par les mains des maîtres de la maison qui veulent faire plus encore pour attirer les oiseaux. Ils y ont déjà pas mal réussi.

À SAINT-JOVITE, DES ORNITHOLOGUES PROFESSIONNELS ONT LE JARDIN IDÉAL

SAINT-JOVITE, dans les Hautes-Laurentides, est un site privilégié pour les oiseaux. La ville, située dans une cuvette entre deux pics montagneux, jouit d'un microclimat propice à la nidification de plusieurs espèces. Les montagnes environnantes, de par leurs différents niveaux d'élévation, offrent une alimentation très diversifiée aux oiseaux.

La propriété de Gérald Gauthier et de Francine Charpentier est un véritable jardin d'oiseaux. Depuis quinze ans, ils en ont délibérément fait un paradis pour la faune ailée. Pourtant, quand ils ont emménagé à cet endroit, le terrain n'était qu'une vaste étendue de sable. Le couple a tout planté de ses mains, en choisissant d'abord des arbres, arbustes et fleurs qu'ils savaient très attrayants pour les oiseaux.

Gérald, membre fondateur du club d'ornithologie des Hautes-Laurentides, donne même des conférences sur l'art d'aménager son jardin pour attirer les oiseaux. Selon ce spécialiste, l'élément principal de toute installation de ce type est l'eau. Celle-ci se présente sous trois formes : l'eau stagnante, l'eau en mouvement selon un système simple (tel l'arrosoir qui laisse tomber l'eau goutte à goutte) et l'eau qui coule naturellement, comme celle d'un ruisseau. Chez Gérald Gauthier, l'eau provient du sommet d'une butte élevée par ses soins afin de permettre au courant de s'écouler du haut vers le bas, en mariant le son et le mouvement. Car le murmure de l'eau qui coule, c'est une invite irrésistible pour les oiseaux!

L'aménagement horticole s'articule autour du bassin selon un plan issu de l'expérience de l'ornithologue. Ce sont, en effet, les essais et les erreurs qui lui ont permis de savoir qu'il valait mieux, par exemple, déplacer le genévrier de l'autre côté de l'étang. Cet important point d'eau est entouré d'arbustes parmi lesquels on trouve des spirées Van

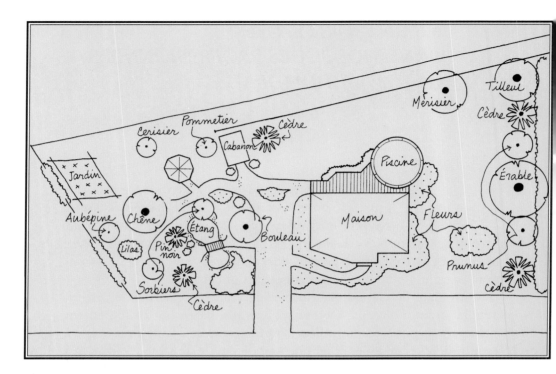

Houtte et Gold Mount, et des arbres très convoités par la faune ailée. Ainsi, en bordure de l'étang, mais aussi dans les alentours, les pins noirs, sorbiers, merisiers, aubépines, caraganiers, tilleuls, pommetiers, cerisiers, chênes, lilas, érables, pruniers et cèdres sont joliment distribués sur le terrain.

Les fleurs et arbustes introduits sur la propriété l'ont été en fonction de leur floraison et de leur fructification. Les oiseaux, très sensibles à l'environnement, seront d'abord attirés visuellement par les fleurs, car ils savent d'instinct que s'il y a des fleurs, il y aura nécessairement des insectes et, plus tard, des fruits.

Le site d'observation par excellence de la famille est le kiosque à musique érigé au bas de la légère pente créée à la suite de la formation de la cascade. Cette installation, par ailleurs très jolie et largement imitée depuis sa conception, se marie élégamment à l'aménagement. À cet endroit, la famille observe tous les oiseaux qui viennent boire et se baigner dans le bassin, mais aussi ceux qui se perchent sur le petit pont qui relie les deux berges de l'étang!

Tangara écarlate

Chardonneret des pins

Un peu en retrait, mais toujours près de la pièce d'eau, Gérald a installé des nichoirs pour merlebleus que ces derniers occupent déjà depuis douze ans. Beaucoup d'oiseaux nichent sur le terrain; la plupart choisissent le côté le moins fréquenté de la maison, là où s'élèvent les cèdres, pour élire domicile. Les merles avaient préféré l'érable, les bruants, la haie de seringas, et les parulines, le prunier. Pourtant, Francine et Gérald ont constaté que certains oiseaux faisaient exception et préféraient des endroits plus passants, telles ces parulines jaunes qui s'étaient installées dans l'arbuste tout proche de la maison.

D'autres oiseaux nichent également chez les Gauthier-Charpentier, notamment les hirondelles bicolores et les hirondelles des granges, les mésanges, les troglodytes, les pics flamboyants, les étourneaux, les viréos, les bruants familiers et les bruants chanteurs. Bien qu'ils n'y restent pas à demeure, beaucoup d'autres espèces d'oiseaux visitent souvent la cour, tels les orioles du Nord, les parulines masquées, les parulines noires et blanches, les parulines du Canada, les cardinaux à poitrine rose, les chardonnerets des pins, les moucherolles des aulnes, les tyrans tritri et les tyrans huppés, les moqueurs roux et les moqueurs

polyglottes, les grives fauves et les grives à dos olive, des tangaras écarlates, des tourterelles, des martinets ramoneurs, des sittelles à poitrine rousse et à poitrine blanche, des geais bleus, des colibris, des engoulevents, des vachers, des quiscales et des carouges.

Par ailleurs, la région abonde en lacs et l'un d'eux, le lac Héron, à environ cinq kilomètres de la propriété du couple, abrite une héronnière. Les grands hérons visitent donc régulièrement le jardin. L'un de ces majestueux oiseaux aurait même vidé le bassin de ses poissons rouges! Des oiseaux rapaces, crécerelles et buses à queue rousse, viennent également chasser sur le terrain des Gauthier-Charpentier.

L'aménagement de la propriété est, en principe, achevé. Même si le couple se plaît toujours à ajouter des arbres et des arbustes à petits fruits pour les oiseaux, l'un et l'autre avouent qu'ils optent désormais pour des espèces qui n'exigent pas trop d'entretien. Leur jardin actuel, d'une beauté plusieurs fois reconnue et récompensée par leurs concitoyens, leur donne tout de même beaucoup d'ouvrage, mais le plaisir du jardinage et celui de la création transparaissent dans l'attitude accueillante qu'ils réservent à ceux qui désirent en faire le tour!

LES ZONES CLIMATIQUES

Le vaste territoire du Québec ne jouit pas partout du même climat : il fait plus chaud au sud et plus froid au nord. Il en va de même du reste du Canada, ainsi qu'aux États-Unis. La végétation est subordonnée au climat et varie donc considérablement en latitude. En fonction de ces données, les scientifiques ont divisé notre territoire en zones climatiques. Ainsi, avec les arbres, arbustes et vignes recommandés pour attirer les oiseaux vient la zone la plus nordique qu'ils tolèrent.

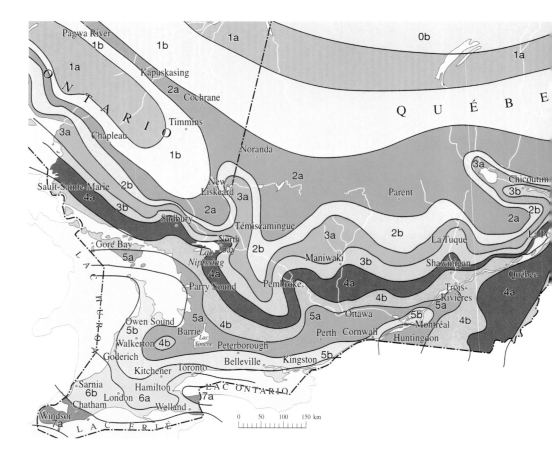

Zone	Température minimale (°C)			Zone	Température minimale (°C)		
1	au-dessous	de	-45	5b	-26	à	-23
2a	-46	à	-43	6a	-23	à	-21
2b	-43	à	-40	6b	-21	à	-18
3a	-40	à	-37	7a	-18	à	-15
3b	-37	à	-34	7b	-15	à	-12
4a	-34	à	-32	8a	-12	à	-9
4b	-32	à	-29	8b	-9	à	-7
5a	-29	à	-26	9a	-7	à	-4

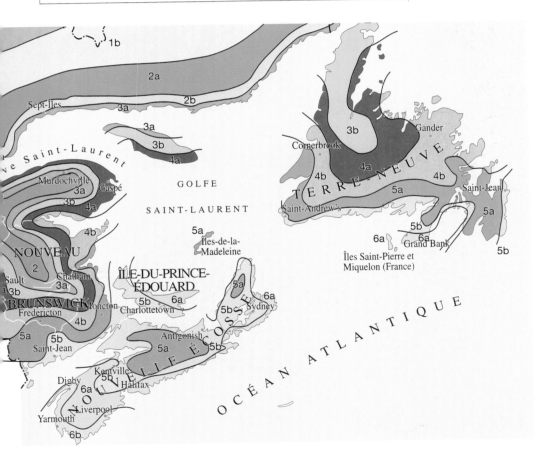

ARBRES, ARBUSTES, VIGNES ET FLEURS AU GOÛT DES OISEAUX

Tous les arbres, tous les arbustes et toutes les fleurs sont un jour ou l'autre les hôtes des oiseaux. Pourtant, certaines essences d'arbres et d'arbustes et certaines variétés de fleurs exercent un attrait particulier sur la faune ailée. Les uns séduisent les oiseaux par leurs fruits, d'autres parce qu'ils leur garantissent une protection contre les prédateurs. Presque toutes les fleurs attirent les insectes qui, à leur tour, attirent les oiseaux insectivores. Certaines, quand elles monteront en graines, nourriront les oiseaux granivores. Enfin, quelques-unes sont visitées par la seule variété d'oiseau-mouche qui fréquente notre territoire nordique, le colibri à gorge rubis.

Comment s'y retrouver quand vient le moment d'éliminer certaines essences sur une propriété ou d'effectuer un choix parmi les milliers d'arbres, arbustes et fleurs qu'on trouve dans la nature ou que nous proposent les pépiniéristes? Voici un choix simple et absolument garanti d'arbres, d'arbustes, de vignes et de fleurs propres à attirer les oiseaux dans le jardin. Leur nom populaire est suivi du nom scientifique entre parenthèses et de la zone de croissance.

ARBRES

Amélanchier (*Amelanchier*)
Zone 3. Petit arbre gracieux qui pousse seul ou en bouquets en terrain bien drainé. Fleurit tôt au printemps. Ses fruits, nommés « petites poires », arrivent à maturité pendant tout l'été et attirent une vingtaine d'espèces d'oiseaux dont les suivants : merlebleu, pic chevelu, moqueur chat, moqueur roux, moqueur polyglotte, merle d'Amérique, grives, jaseur d'Amérique, viréo aux yeux rouges, oriole du Nord, tangara écarlate, cardinal, gros-bec errant et tohi aux yeux rouges. La gélinotte recherche ses fruits tombés au sol. L'amélanchier est indispensable dans tout jardin.

Aulne rugueux (*Alnus rugosa*)

Zone 1. Ce petit arbre croît en plein soleil, sous tous les climats et dans tous les sols, même stériles. Il possède le don miraculeux d'absorber directement l'azote de l'air; il n'a donc besoin que d'air et d'eau et c'est la raison pour laquelle on l'utilise pour reboiser les zones de travaux de la baie James. Ses branches nombreuses et son feuillage dense offrent un abri sûr à tous les passereaux et un site de nidification à une vingtaine d'entre eux, en particulier les moucherolles. Par ailleurs, ses cônes renferment des graines précieuses en sol pauvre. Cet arbuste convient aux sites ingrats.

Bouleau à feuilles de peuplier ou bouleau gris (*Betula populifolia*)

Zone 4. Cet arbre de petite taille croît rapidement en pleine lumière dans tout terrain bien drainé. Ses branches serrées sont une excellente protection contre les prédateurs. Ses cônes fournissent des graines à une vingtaine d'oiseaux dont le geai bleu, la mésange à tête noire, le chardonneret des pins, le chardonneret jaune et le junco. Contrairement au bouleau à papier et au bouleau pleureur, le bouleau gris n'est pas ravagé par la mineuse.

Cerisier tardif (*Prunus serotina*)

Zone 4. Cet arbre de grande taille, très élégant, donne tous les trois ou quatre ans, de juillet à octobre, des fruits abondants et charnus qui attirent une cinquantaine d'oiseaux granivores en migration. L'oriole y construit son nid. De croissance rapide, il produit un bois rouge très recherché, surnommé l'acajou du Nord.

Épinette blanche (*Picea lauca*)

Zone 2. Beau conifère aux branches abondantes qui offre à la fois, et toute l'année, nourriture, abri et sites de nidification à une quarantaine d'oiseaux de toute sorte. Croît au soleil en sol sec, même sablonneux. Il atteint six mètres de haut en dix ans. À recommander.

Érable à Giguère (*Acer negundo*)

Zone 2. Les très abondantes samares restent attachées à cet arbre tard en hiver et attirent surtout le gros-bec errant, le roselin pourpré et le dur-bec des pins. Il croît et se multiplie rapidement en tous terrains et sous toutes nos latitudes; il a un port moins élégant que d'autres essences.

Érable rouge (*Acer rubrum*)

Zone 4. Érable élégant, de croissance rapide en tous terrains, qui résiste bien à la pollution urbaine. Fleurs rouge vif très tôt au printemps, feuillage rouge vif à l'automne. Ses samares attirent le gros-bec errant, le dur-bec des pins et le cardinal. Le chardonneret jaune et le merle y nichent.

Frêne blanc et frêne rouge (*Fraxinus pennsylvanica* et *Fraxinus americana*)

Zone 4. Ce sont de très beaux arbres, élégants, élancés, qui résistent bien aux insectes. Le frêne blanc réclame un sol sec, le frêne rouge un sol humide. Les deux croissent rapidement : de sept mètres en dix ans. Leurs samares attirent le gros-bec errant, le dur-bec des pins, le roselin pourpré et le carouge à épaulettes.

Noyer noir (*Juglans nigra*)

Zone 5. C'est un arbre d'une grande beauté; son bois vaut très cher : un seul tronc adulte se vend des milliers de dollars. Il requiert un sol riche et profond. Bien que cet arbre soit rustique en zone 5, un boisé entier de noyers noirs existe à Sainte-Croix-de-Lotbinière. Il croît rapidement : de cinq mètres en dix ans. Ses grosses noix sphériques et délicieuses attirent une vingtaine d'oiseaux dont le pic maculé, le pic mineur, le geai bleu, le moqueur chat, le roitelet à couronne rubis, le cardinal rouge, le junco ardoisé et le bruant à couronne blanche. L'oriole du Nord y niche.

Toutes les propriétés situées au sud du Saint-Laurent et à l'ouest du mont Sutton devraient compter au moins un noyer noir.

Pin blanc (*Pinus strobus*)

Zone 4. C'est, pour les oiseaux, le plus intéressant de tous les pins. Il croît assez rapidement dans tous les sols : de trois à six mètres en dix ans. Il peut vivre durant plusieurs siècles et procure un abri, de la nourriture et un site de nidification à presque tous les oiseaux qui nous visitent.

Pruche du Canada (*Tsuga canadensis*)

Zone 3. Ce beau conifère à l'écorce rouge et au feuillage dense et vert très foncé offre un excellent abri aux oiseaux : une vingtaine d'espèces s'y réfugient ou y nichent. De croissance lente, il tolère cependant mieux l'ombre que tout autre résineux, d'où son intérêt pour les jardiniers amateurs.

Sapin baumier (*Abies balsamea*)

Zone 4. Cet arbre croît lentement, mais vit plus de trois siècles. Il pousse dans tous les sols, mais s'acclimate difficilement à la ville. Ses cônes renferment des graines fort appréciées des oiseaux. Une vingtaine d'espèces le fréquentent pour la protection, la nourriture et le site de nidification dont il les pourvoit. Il demeure vert toute l'année.

Sorbier d'Amérique (*Sorbus americana*), sorbier plaisant (*Sorbus decora*) et sorbier des oiseaux (*Sorbus aucuparia*)

Zone 2. Les sorbiers sont de magnifiques arbres de taille moyenne qui attirent le regard des passants par leur forme élégante et leur feuillage bleu-vert qui vire à l'orangé en automne. Les fruits des trois variétés de sorbiers se présentent en drupes généreuses aux couleurs orange ou rouge vif; ils attirent une vingtaine d'espèces intéressantes dont le merlebleu, le dur-bec des pins, les moqueurs et l'oriole du Nord.

Les plus beaux sorbiers du Québec poussent dans l'île aux Coudres où ils atteignent la taille d'un grand pommier. À recommander.

Thuya occidental ou cèdre blanc (*Thuya occidentalis*)

Zone 2. Ce conifère sert d'abri contre les prédateurs à toutes les espèces d'oiseaux de petite taille. L'hiver, il les protège de la neige. Le roselin familier, le merle d'Amérique et le jaseur d'Amérique y nichent. Tout jardin d'oiseaux doit en posséder au moins un, placé à l'abri du vent.

Tilleul d'Amérique (*Tilia americana*)

Zone 3. Cet arbre altier et fascinant se couvre en été de fleurs abondantes protégées de la pluie par des bractées membraneuses. Cette particularité permet aux insectes d'y butiner par mauvais temps et a pour résultat d'attirer les oiseaux insectivores.

ARBUSTES

Cerisier de Virginie ou cerisier à grappes (*Prunus virginiana*)

Zone 2. Arbuste sauvage de taille moyenne dont les fruits attirent, de juillet à octobre, une trentaine d'oiseaux granivores de passage. Il croît et se multiplie en tous terrains, en fourrés denses qui offrent protection à tous les passereaux. Les jeunes plants se transplantent aisément. C'est un apport intéressant, utile et économique dans un jardin.

Chèvrefeuille de Tartarie (*Lonicera tatarica*), chèvrefeuille du Canada (*Lonicera canadensis*)

Zone 3. On connaît bien l'utilité des chèvrefeuilles dans l'érection de haies. Ce qu'on sait moins, c'est que les trois essences de chèvrefeuille produisent en abondance des fruits fort appréciés des oiseaux granivores. En outre, le carouge à épaulettes et la paruline jaune y nichent. On peut tailler les chèvrefeuilles ou les laisser pousser en buissons, ou comme coupe-vent aux bornes d'une propriété. Une valeur sûre.

Cirier de Pennsylvanie (*Myrica pensylvanica*)

Zone 2. Cet arbuste a une prédilection pour les terrains en bordure du fleuve ou de l'océan. Il ne craint pas le froid, croît aussi bien dans les endroits marécageux que sur les dunes de sable et se couvre de petits fruits qu'il conserve jusqu'à deux ans. Il stabilise fort bien un sol sablonneux, s'élève jusqu'à deux mètres, attire tous les granivores et procure un site de nidification à nombre d'entre eux, dont le carouge à épaulettes.

Cornouiller du Canada (*Cornus canadensis*)

Zone 4. Le cornouiller du Canada est un arbuste fort attrayant qui pousse en bosquets dans les sous-bois humides, mais tolère les lieux humides et ensoleillés à proximité des plans d'eau. Ses fruits bleu-noir abondants attirent une cinquantaine d'espèces d'oiseaux de jardin qui vont du roitelet au cardinal. Certains y nichent même, notamment les moqueurs et le tangara écarlate. On le transplante tel quel ou on se le procure en pépinière. À recommander.

Genévrier commun (*Juniperus communis*)

Zone 2. Cet arbuste épineux de petite taille, environ un mètre, peut être utile en aménagement horticole parce qu'il croît, seul ou en bosquets, dans les milieux les plus pauvres et se transplante facilement. Il peut constituer une barrière infranchissable. C'est le champion en matière de conservation de fruits : il les porte jusqu'à trois ans! Ses fruits attirent une grande diversité d'oiseaux granivores, dont les jaseurs d'Amérique, les merlebleus, les merles, les gros-becs errants et les roselins pourprés.

Olivier de Bohême ou olivier boréal (*Elaeagnus angustifolia*)

Zone 2. Cet arbre exotique se développe en buisson dense si on ne le taille pas, et croît avec élégance si l'on supprime toutes ses branches, sauf une. Il pousse très rapidement et dépasse trois mètres en deux ans dans des conditions idéales. Il tolère tous les sols, au soleil ou à l'ombre. Ses fruits semblent secs, mais les oiseaux s'en régalent, d'autant plus qu'ils demeurent sur l'arbre tout l'hiver. Une valeur sûre.

Petit merisier (*Prunus pensylvanica*)

Zone 2. Grand arbuste qui croît seul, en bouquets ou en rangées, au plein soleil, sur les terrains secs et rocheux. Ses fruits, les petites merises, attirent une quarantaine d'espèces d'oiseaux de jardins dont les jaseurs, les viréos, les gros-becs et les cardinaux à poitrine rose quand ils sont encore sur l'arbre, ainsi que la gélinotte huppée et le pic flamboyant quand ils tombent au sol. Si vous voulez cultiver cet arbuste, cueillez-en les fruits à maturité, faites-les sécher avec leur pulpe et plantez-les dès qu'ils sont secs, en juillet ou en août, à une profondeur d'un centimètre.

Pommetier sibérien (*Malus baccata*)

Zone 2. Cet arbre décoratif resplendit de fleurs au printemps et donne des fruits à profusion en automne. Il attire tous les oiseaux, en particulier les jaseurs. À recommander.

Raisin d'ours (*Arctostaphylos uva ursi*)

Zone 2. Cet arbrisseau bas et résistant se couvre d'abord de fleurs qui attirent le colibri à gorge rubis, puis de fruits rouges ou roses de juillet à octobre, qui appâtent une trentaine d'espèces de granivores à l'automne et persistent tout l'hiver pour le plus grand bonheur des oiseaux sédentaires.

Sumac vinaigrier ou vinaigrier (*Rhustyphina*)

Zone 4. Le sumac vinaigrier est un arbuste prolifique et très décoratif dont le feuillage vire en automne au rouge orangé. Ses ramures denses servent d'abri à tous les passereaux et ses fruits, acides et velus, persistent en hiver et attirent nombre d'oiseaux, en particulier les moqueurs, les grives, le cardinal, le merle d'Amérique, le merlebleu et le bruant indigo. On transplante facilement le vinaigrier et il se contente de tous les terrains, même rocheux ou glaiseux; comme il se multiplie facilement, il convient bien aux grands espaces. Il faut surveiller sa prolifération sur terrain de surface restreinte. Une valeur sûre.

Sureau blanc (*Sambucus canadensis*), sureau noir (*Sambucus nigra*) et sureau rouge (*Sambucus pubens*)

Zone 4. Les sureaux blanc, noir et rouge sont de très jolis arbustes qui, dès l'âge de deux ans, se couvrent de fruits convoités par tous les granivores. Même les cerfs de Virginie raffolent des fruits comestibles du sureau blanc et du sureau noir. On dit que le fruit du sureau rouge est toxique pour les humains, mais les oiseaux l'aiment autant que ceux des sureaux blancs et noirs. Cet arbre pousse en forme de buisson, dépasse trois mètres de haut et préfère les terrains riches et humides. Il attire quarante espèces d'oiseaux granivores, en particulier les grives, les viréos, le cardinal à poitrine rose et les moqueurs. C'est mon préféré et je le recommande instamment.

Symphorine à feuilles rondes (*Symphoricarpos orbiculatus*)

Zone 2. Cet arbuste haut d'un mètre à un mètre et demi croît dans tous les sols et sous tous nos climats. Son nectar attire le colibri à gorge rubis et ses fruits abondants et permanents, de couleur pourpre, séduisent une foule d'oiseaux, en particulier le merle d'Amérique, les grives, le gros-bec errant et le dur-bec des pins. Il supporte bien la pollution urbaine. À recommander.

Viorne lentago ou alisier (*Viburnum lentago*)

Zone 2. L'alisier est le plus grand spécimen de la famille des viornes : il peut dépasser six mètres de haut. Cet arbre magnifique, aux branches rouge vif, peut être installé à l'arrière-plan du terrain ou planté seul au centre d'un espace libre. Il se transplante facilement en sol riche, vit aussi bien à l'ombre qu'au soleil, tolère tous les climats, croît rapidement et donne à profusion des fruits bleu-noir comestibles, semblables à des raisins, qui attirent tous les oiseaux granivores. Une valeur sûre, à recommander en terrain assez vaste.

Viorne trilobée ou pimbina (*Viburnum trilobum*)

Zone 2. La viorne trilobée, dite aussi pimbina, du nom de son fruit, est un arbuste gracieux aux branches délicates et flexibles. Elle croît rapidement dans les terrains riches et, plantée en bosquet, elle peut servir à masquer un coin inesthétique. Son fruit se présente en grappes rouge vif très attrayantes; le pimbina est comestible et demeure sur l'arbrisseau presque tout l'hiver. Il attire quantité d'oiseaux, notamment les durbecs des pins en automne, les gros-becs errants, les roselins pourprés et les jaseurs. À recommander.

VIGNES

Vigne vierge (*Parthenocissus quinquefolia*)

Zone 4. Voici une vigne très décorative dont le feuillage vert foncé en été tourne au rouge feu en automne. Elle tolère bien la plupart des sols et habille magnifiquement une clôture ou un treillis. Ses petits fruits bleus persistent longtemps et attirent une cinquantaine d'espèces d'oiseaux granivores. À recommander.

FLEURS

Asters (*Aster*)

Ces fleurs attirent les oiseaux insectivores en été et les granivores en automne.

Chrysanthèmes (*Chrysanthemum*)

Ces fleurs attirent les oiseaux insectivores en été et les granivores en automne.

Clématites (*Clematis*)

Le colibri à gorge rubis se nourrit de son nectar.

Cœurs-saignants (*Dicentra spectabilis*)

Le colibri à gorge rubis se nourrit de son nectar.

Cosmos (*Cosmos*)

Cette fleur attire le bruant à gorge blanche, le bruant à couronne blanche, les juncos et d'autres espèces rares.

Monarde (*Monarda*)

Cette fleur attire les colibris à coup sûr.

Tournesols (*Helianthus*)

Les tournesols attirent les cardinaux à poitrine rose à la fin de l'été, les grives, bruants et pics l'automne et, l'hiver venu, tous les granivores sédentaires.

CRÉDITS PHOTOGRAPHIQUES

OISEAUX

Michel Julien (pages 165 en haut, 187 en haut, 198)

Du Groupe Itinéraire Nature inc.
Photographes :
Daniel Auger (pages 12, 33, 56 en bas, 89, 112, 123 en bas, 138, 180)
Michel Blachas (page 67)
Raynald Claveau (pages 98, 103 en haut, 171, 191 en haut)
André Cyr (pages 44, 48, 84, 86, 177 en haut, 207)
Gilles Daigle (pages 34, 117 en bas, 187 en bas, 191 en bas)
Gilles Delisle (pages 16, 23, 31, 37, 79 en haut, 99, 103 en bas, 117 en haut,
    123 en haut, 128, 131, 158, 173)
Patricia Desjardins (pages 106, 144 en bas)
Éric Dugas (pages 19, 56 en haut, 58, 72, 73, 75 en haut, 113, 148, 195 en bas)
Denis Faucher (pages 52 en haut, 62, 144 en haut, 154, 163, 165 en bas,
    177 en bas, 195 en haut, 208)
Lucie Gagnon (pages 27, 42)
Richard Lavertue (pages 20, 39, 94, 109, 125 en bas à droite, 160)
Michel Masse (pages 65, 75 en bas, 79 en bas, 139, 141 en haut et en bas,
    153, 181, 200)
Jacques Pharand (pages 41, 47, 52 en bas, 90, 93, 125 en bas à gauche)

JARDINS

Les photographies des jardins ont été fournies par les propriétaires des jardins.

TABLE DES MATIÈRES

Remerciements   8

Préface   9

PRÉAMBULE

Une visite chez Thérèse Girard, la « dame aux oiseaux »   11

EN VILLE

Au pied du mont Royal, une rue de fleurs et d'oiseaux   17

À l'ombre du mont Royal, des cris d'oiseaux et d'enfants   21

Il suffisait de presque rien pour attirer ces roselins   26

Dans l'est de la métropole : un coin de nature généreuse   29

À Magog, un grand jardin où les moucherolles vous
accueillent   35

Joliette : les oiseaux de proie les fascinent!   38

EN BANLIEUE

À Saint-Lambert, tout peut surgir du bois!   43

La joyeuse histoire d'une tourterelle triste   46

Rive sud : un jardin qui regorge de verdure   51

Tous les oiseaux de sa voisine et peut-être le cardinal en
prime!   55

Un jardin extraordinaire où les oiseaux parlent l'anglais   59

Comme dans un film de John Irving   64

Cartierville : les oiseaux sont leurs compagnons depuis
vingt-cinq ans   69

Les vieux arbres de Boucherville, toute la faune ailée y passe   74

À Boucherville, un site de rêve   78

À Boucherville, un jardin à l'anglaise   83

À Repentigny, un jardin qui se noie dans le fleuve   88

Le long de la rivière des Prairies, un endroit plein d'attraits   92

Duvernay : un coin de nature à la porte de la ville   97
Dans le vieux Laval un jardin gorgé de vie   102
En bordure du vieux Rosemère, un jardin d'oiseaux
        tout récent   107
À Auteuil : un jardin raffiné   111
À Saint-Francois : des écolos d'avant-garde   116
Saint-Hilaire : un jardin en péril   121

À LA CAMPAGNE
Au cœur de Lanaudière, des oiseaux à cœur de jour   124
Vaudreuil : un jardin perdu dans un boisé   129
Aux portes de Trois-Rivières, au détour d'un cours d'eau…   135
À Sainte-Anne-des-Plaines, un coin où les animaux sont rois   140
À la porte des Laurentides, un coin de verdure et de calme   145
À Châteauguay, les oiseaux, c'est une affaire de famille!   149
À Lanaudière, un jardin qui respire la bonté et la sérénité   155
L'Acadie : jardin d'oiseaux et famille d'accueil   161
Dans la vallée du Richelieu, un espace dessiné
        pour les oiseaux   164
À Frelighsburg, une nuée de colibris   169
Sur les bords du lac Brome, les colibris ont de la mémoire   175
En Estrie : au bout de la route, le paradis   179
En Estrie : un horloger à l'heure des oiseaux   185
Suroît : un jardin d'oiseaux que fréquentent les aigrettes   190
Entre Québec et Lancaster, un lieu sauvage très secret   194

JARDINS DE SPÉCIALISTES
À Granby : Lise et Marc Warte, des horticulteurs de métier à
        l'œuvre   199
À Saint-Jovite, des ornithologues professionnels ont le jardin
        idéal   205

Les zones climatiques   210
Arbres, arbustes, vignes et fleurs au goût des oiseaux   213